TEMPÊTE
SUR LES ANDES

DANS LA MÊME COLLECTION

1. L'arbre de vie (*inédit*)
2. Un parfum d'Ylang-Ylang
3. Alias M.D.O.
4. Tempête sur les Andes

A PARAÎTRE :

5. Le talisman des Voïvodes
6. Trois petits singes

HENRI VERNES

TEMPÊTE
SUR LES ANDES

Collection « Bob Morane »

6, rue Garancière - Paris VIᵉ

MORANE (Robert, dit Bob). Né un 16 octobre. Trente-trois ans. Taille : 1 m 85. Poids : plus ou moins 85 kg. Cheveux : noirs et drus. Yeux : gris d'acier. Nyctalope. Etudes à Polytechnique. Ingénieur. Commandant d'escadrille en disponibilité de l'Armée de l'Air. Sa curiosité et son sens de la justice lui font parcourir la terre entière. Il lui arrive de collaborer avec les services secrets mais seulement quand les raisons qu'on lui fournit lui paraissent valables. Reporter occasionnel à la revue *Reflets*. Pratique en expert la plupart des techniques de combat. Enragé collectionneur. Aime se plonger dans la vie sauvage et entrer en contact avec les peuples dits « primitifs ». Ami et protecteur de la nature. Ses ports d'attache sont le quai Voltaire à Paris et un vieux monastère en Dordogne.

BALLANTINE (William, dit Bill). Géant écossais, doué d'une force colossale. Sensiblement du même âge que Bob Morane, dont il est l'ami inséparable. Taille : près de deux mètres. Poids : entre 120 et 130 kg suivant son régime. Cheveux : roux et désordonnés. Yeux : bleu-vert. Patriote, il boit plus que volontiers du whisky écossais. Superstitieux. Se consacre à son élevage de poulets, en Ecosse, où il possède un vieux castel, mais il passe le plus clair de son temps à courir le monde avec Morane. Bien que parlant parfaitement le français — avec un fort accent écossais cependant — il prend plaisir à se servir souvent, suivant son humeur, d'un langage ponctué de mots d'argot. Le « tu » n'existant pas en anglais, il n'a jamais pu perdre l'habitude de vouvoyer Morane, ni de l'appeler « commandant », tout d'abord ironiquement, par habitude ensuite.

CHAPITRE PREMIER

Pour la dixième fois peut-être, Bob Morane relisait l'article du journal péruvien qu'il tenait à la main.

UN ULTIMATUM
AU PRÉSIDENT CERDONA

Lima, le 12 juin. — Les scélérats qui, depuis un mois, multiplient ces mystérieuses agressions contre notre population civile vont-ils enfin se découvrir? Nous apprenons de source officielle que, hier, tard dans la soirée, le président Cerdona a reçu un message libellé de cette façon :

« Si vous ne démissionnez pas dans les douze heures, le palais gouvernemental sera détruit. »

Bien entendu, le message n'était pas signé.
Pendant un moment, on se demanda s'il ne s'agissait pas de l'œuvre d'un mauvais plaisant. Pourtant, cet ultimatum expliquerait les mystérieux bombardements auxquels nos principales

cités ont été épisodiquement soumises au cours de ces dernières semaines. Ces bombardements seraient le fait d'une opposition qui, sans se révéler autrement, viserait à renverser le gouvernement libéral du président Ambrosio Cerdona, pour le remplacer sans doute par une dictature qui condamnerait notre peuple à l'esclavage.

Le président Cerdona va-t-il céder à la menace? Sa réponse a été nette. « S'il s'agit d'une mauvaise plaisanterie, a-t-il déclaré, il ne peut naturellement être question que je la prenne au sérieux. En admettant d'autre part que cet ultimatum me soit envoyé par le ou les personnages qui terrorisent nos villes, il ne peut davantage être question de démission de ma part. En aucun moment, je ne me sentirai disposé à céder le pouvoir à des assassins. De toute façon, ma réponse est négative et si, réellement, le palais gouvernemental doit être détruit, qu'il le soit... Ce ne sera pas de quelques pierres que dépendra le bonheur du peuple péruvien. Pas un instant non plus je ne quitterai le palais. Si les bombardements de nos adversaires sont suffisamment précis, ce dont je doute, pour frapper ce palais d'un coup au but, je m'en remets à la protection divine pour échapper à la mort. »

Le journal concluait :

Dans les douze heures qui vont suivre nous aurons donc une réponse à cette double question : le message est-il dû à un mauvais plaisant ou, au contraire, aux adversaires de l'actuel

10

gouvernement? Quoi qu'il en soit, tous nos vœux et notre admiration accompagnent le courageux président Cerdona. Que Dieu continue à lui prêter longue vie!

Morane repoussa le journal et passa les doigts de sa main droite dans ses cheveux noirs et drus. Puis il se tourna vers le géant roux qui lisait par-dessus son épaule.

— Ou je m'abuse fort, Bill, déclara-t-il, ou les événements se précipitent.

Sur le large visage rougeaud du colosse, une légère grimace apparut.

— Pas à dire, commandant, nous avons le chic pour glisser nos doigts dans les charnières des portes au moment où celles-ci se referment. Voilà une semaine maintenant que nous sommes arrivés à Lima et cherchons à obtenir une entrevue avec le président Cerdona. Enfin nous obtenons cette entrevue, et cela le jour même où le palais gouvernemental, s'il faut en croire les dernières nouvelles, va être réduit en cendres...

Morane haussa les épaules.

— Bah! Il est inutile de prendre la menace trop au sérieux. Comme le dit le journal, il s'agit peut-être là d'une mauvaise plaisanterie.

Un ricanement échappa au colosse.

— Une plaisanterie... Une plaisanterie... Peut-être s'agissait-il aussi de plaisanteries quand, au cours des quelques jours que nous venons de passer à Lima, ces bombardements ont eu lieu, détruisant par le feu plusieurs quartiers de la ville...

Morane ne répondit pas immédiatement. Tout avait commencé deux semaines plus tôt, alors qu'il se trouvait à Hong Kong, où son vieil ami et compagnon d'aventures, l'Ecossais Bill Ballantine, devait venir le retrouver. Bob avait reçu un télégramme du grand magazine français *Reflets* pour lequel il lui arrivait de travailler en qualité de reporter extraordinaire. A cette époque, tous les collaborateurs de *Reflets* étaient indisponibles et la direction avait songé à Morane pour l'envoyer au Pérou où se passaient des événements étranges. Bob Morane avait accepté la mission et, en compagnie de Ballantine, il avait gagné Lima. Pendant près d'une semaine, les deux amis avaient tenté d'être reçus par le président Ambrosio Cerdona, afin d'interviewer ce dernier sur les événements qui venaient d'ensanglanter plusieurs grandes villes péruviennes. C'était la veille seulement que, par l'entremise de l'ambassade de France, Bob et Ballantine avaient enfin été convoqués pour ce jour-là, en début d'après-midi, au palais gouvernemental où le président Cerdona devait les recevoir.

Bob se leva, quitta la table devant laquelle il était assis et se mit à marcher à travers la chambre. Au bout d'un moment, il jeta un regard à sa montre-bracelet.

— Près de midi, fit-il. Les douze heures de délai laissées à Cerdona sont maintenant écoulées. Si le président n'a pas démissionné, ce qui est certain, il faut s'attendre à tout moment à ce qu'un pruneau quelconque dégringole sur le palais ou à proximité... Tu as raison, Bill, nous avons un chic incomparable pour glisser les doigts dans les charnières des portes au moment où celles-ci se referment...

Bob eut un geste d'insouciance.

— Bah! continua-t-il, il est fort possible que le pétard en question n'éclate avant que nous soyons arrivés au palais. D'ailleurs, nous ne pouvons décommander notre rendez-vous. Nous aurions l'air de deux fameux pétochards, et si le président Cerdona demeure à son poste, nous ne pouvons, bien que toute cette affaire ne nous concerne pas, nous montrer moins braves que lui. Il y va de notre réputation, après tout...

Deux années avant l'époque où commence ce récit, le Pérou était gouverné par un tyran du nom de Miguel Vocero, soutenu par toute une clique d'industriels et de propriétaires miniers ayant tout avantage à ce que les Indiens du peuple fussent tenus dans un état de semi-esclavage, ce qui leur procurait de la main-d'œuvre à bon marché. Cela avait duré jusqu'au jour où ce même peuple, lassé des injustices dont il était l'objet, s'était révolté pour, guidé par Ambrosio Cerdona, jeter bas le dictateur. Ce dernier, à la tête de troupes bien armées, avait tenté de résister. Finalement battu, il voulut chercher un refuge dans la montagne pour être finalement tué au cours de combats d'arrière-garde. La paix revenue dans tout le pays, Ambrosio Cerdona avait aussitôt laissé le peuple se choisir lui-même un dirigeant. Ce peuple ne devait cependant pas oublier l'homme qui venait de le débarrasser du tyran et ce fut Ambrosio Cerdona lui-même qui, après un plébiscite, fut élu président.

Pendant deux ans, Cerdona avait dirigé avec équité les destinées du pays, tant à l'intérieur qu'à l'extérieur. Il avait consolidé l'amitié avec les gouvernements voisins et fait table rase des vieilles querelles de frontières. A l'intérieur, il avait progressivement relevé le niveau d'existence de la population, diminuant le nombre d'heures de travail et majorant les salaires. En même temps, il avait mis fin aux exactions des gros propriétaires qui, sous le régime de Miguel Vocero, pressuraient leurs travailleurs en exigeant d'eux une besogne écrasante pour de ridicules rémunérations. A la suite de ces différentes mesures, Ambrosio Cerdona était adulé à travers tout le pays. On l'avait surnommé l'Ami du Peuple. Dans chaque foyer, à côté des images saintes, on voyait son portrait devant lequel on déposait de modestes fleurs. Tout avait été pour le mieux, jusqu'au jour où, un mois plus tôt, les premiers bombardements débutèrent, mettant en feu plusieurs quartiers de Lima, d'Arequipa, de Callao. Bombardements à vrai dire fort mystérieux, car ils n'étaient précédés par aucun passage d'avions. Un bref et fracassant éclatement qui jetait bas

14

plusieurs immeubles. Propagé sans doute par le phosphore mêlé aux explosifs, l'incendie gagnait rapidement, détruisant parfois un quartier tout entier avant même que le dispositif de sécurité puisse être mis en action.

Après chaque bombardement, un avion à réaction, ne portant aucune marque distinctive, survolait les lieux du sinistre, sans doute pour se rendre compte des dégâts. Ensuite, il disparaissait sans laisser le temps à la chasse gouvernementale de prendre l'air.

Cela faisait donc maintenant un mois environ que cette situation durait. Quelle était l'origine de ces mystérieux attentats et quels en étaient les auteurs ? Visiblement, il devait s'agir d'un complot visant à terrifier les populations des grandes cités péruviennes et obtenir ainsi la démission du président Ambrosio Cerdona. L'ultimatum que venait de recevoir ce dernier confirmait cette supposition. La crise en arrivait à son point crucial. Ou les énigmatiques adversaires de Cerdona allaient mettre leur menace à exécution et profiter du désarroi causé par la mort du président pour prendre le pouvoir, ou, au contraire, ils échoueraient, renforçant encore davantage la popularité de l'homme qui avait tiré le peuple péruvien de l'esclavage pour le rendre à la liberté.

— Pas à dire, commandant, mais cette ville devient de plus en plus sinistre. Tous ces gens me font penser à du bétail qu'on mènerait à l'abattoir...

Bob Morane et Bill Ballantine se dirigeaient à travers la capitale péruvienne, en direction du palais gouvernemental.

On était au début de l'après-midi. La chaleur était étouffante. Le soleil tropical dardait ses inexorables rayons. Pourtant, malgré la lumière d'or vif qui envahissait les rues, une atmosphère de totale désolation y régnait. Sur les visages des passants, qui allaient à pas pressés comme s'ils fuyaient un invisible ennemi, la tristesse et l'appréhension se lisaient seules. Toutes les épaules étaient courbées comme sous le poids d'une menace latente. A Lima, ce jour-là, la même ambiance déprimante régnait et, par endroits, les traces noircies laissées par les précédents incendies ajoutaient encore à cette impression d'angoisse.

Au fur et à mesure qu'on approchait du quartier où se trouvait érigé le palais gouvernemental, les passants se faisaient plus rare, ce qui fit remarquer encore à Ballantine :

— Brrr ! commandant, nous approchons du point névralgique. N'avez-vous pas la sensation de marcher sur un volcan qui, à tout moment, peut entrer en éruption ?

Morane haussa les épaules avec une feinte insouciance.

— Je voudrais te faire remarquer, Bill, que les douze heures stipulées dans l'ultimatum sont écoulées maintenant et que rien ne s'est encore

16

passé. Si tu veux mon avis, le pétard pourrait fort bien avoir fait long feu...

Cependant, démentant l'optimisme de ses paroles, une expression un peu tendue, marquant l'inquiétude, se lisait sur le visage bronzé de Morane.

Les deux hommes marchèrent encore pendant quelques minutes en direction du palais. Soudain, ils s'arrêtèrent. A quelques mètres devant eux, la rue était barrée par des chevaux de frise gardés par des militaires qui interdisaient aux passants de gagner les abords du palais.

Suivi de Ballantine, Bob s'approcha de la barricade et, tendant sa convocation à un jeune lieutenant, lui dit en espagnol :

— Le président Cerdona doit nous recevoir. Pouvez-vous nous faire conduire jusqu'à lui ?

L'officier regarda longuement le laissez-passer que lui avait tendu Morane. Au bout d'un moment, il releva la tête, dit :

— Bien que les visites au palais soient interdites pour le moment, ceci me paraît en règle. Je vais vous faire conduire jusqu'au président. Pourtant, je doute fort que, malgré cette convocation, il consente à vous recevoir. Depuis hier, pas mal d'événements graves sont survenus et Son Excellence a autre chose à faire qu'à converser avec des étrangers.

L'officier jeta un ordre et deux soldats, baïonnette au canon, s'approchèrent de Morane et de Ballantine pour les encadrer.

17

— Si vous voulez nous suivre, *señores,* dit l'un des soldats.

Sans échanger d'autres paroles, les quatre hommes se mirent en marche en direction du palais.

CHAPITRE II

Le quartier à travers lequel avançaient maintenant Bob Morane, Bill Ballantine et leurs deux guides était désert, sauf quelques patrouilles de soldats qui sillonnaient les rues. Afin d'éviter toute mort parmi la population, les maisons avaient été évacuées par mesure de précaution. Un silence total régnait dans les rues éclaboussées de soleil. A l'extrémité de l'avenue que Morane et ses compagnons suivaient, le palais gouvernemental, tout blanc, comme taillé dans le sucre, avait quelque chose d'insolite sous le ciel d'un bleu cruel. On eût dit un monument édifié par une civilisation morte et parvenu intact jusqu'à nous.

Malgré eux, Bob et Ballantine ne pouvaient s'empêcher d'être subjugués par l'atmosphère de désolation régnant autour d'eux. Ils allaient sans échanger la moindre parole.

Après avoir marché pendant une dizaine de minutes, Morane, Bill et les deux soldats atteignirent l'escalier monumental du palais et le gravirent. Quand ils furent parvenus au sommet, un des deux soldats parlementa avec un second officier qui gardait la porte en compagnie de plusieurs sentinelles en armes. Longuement, l'officier étudia la convocation que Morane lui tendait. Au bout d'un moment, il releva la tête.

— Cette convocation me paraît authentique. D'ailleurs, j'avais été prévenu de votre visite. Tout ce qui me reste à faire, c'est contrôler vos identités. Si vous voulez me remettre vos passeports...

Morane et Ballantine tendirent leurs papiers à l'officier qui les étudia avec soin, pour finalement les rendre à chacun de leurs propriétaires respectifs.

— Tout est en ordre de cette façon, *señores,* dit-il. Excusez ma méfiance mais, avec les événements de ces derniers jours, deux précautions valent mieux qu'une. Si vous voulez me suivre...

Emboîtant le pas à l'officier, Morane et Ballantine furent conduits, à travers de larges couloirs pavés de mosaïques, jusqu'à un vaste salon aux meubles dorés. Là, l'officier les abandonna en leur demandant de patienter en attendant la venue du président.

Bob et son ami n'eurent pas à se morfondre longtemps. Au bout de quelques minutes, la porte s'ouvrit pour livrer passage à un personnage vêtu d'un complet gris clair. Il était mince, de haute taille et âgé peut-être d'une cinquantaine d'années. Sur son visage osseux, couronné de cheveux grisonnants, une grande douceur se lisait. Une douceur qui cependant ne devait pas exclure la fermeté quand celle-ci s'avérait nécessaire. Pourtant, ce qui frappait davantage chez le nouveau venu, c'était l'étonnante franchise de ses yeux noirs qui regardaient droit devant eux.

Le président Cerdona s'avança vers Morane la main tendue.

— Ravi de vous recevoir, monsieur Morane, dit-il dans un français presque dépourvu de tout accent.

Cerdona se tourna vers Ballantine.

— Votre ami est également le bienvenu...

Il y eut un moment de silence, puis Morane dit :

— Je ne comptais pas que vous accepteriez de nous recevoir, Excellence. Depuis hier, les événements...

D'un geste de la main, Cerdona interrompit Morane.

— Il ne faut jamais se laisser dominer par les événements, fit-il avec un sourire un peu triste. Certes, l'heure est grave pour mon pays, surtout que nous ne savons pas exactement d'où vient le danger. En raison des circonstances, j'aurais pu remettre cette entrevue. Je n'en ai rien fait pour bien montrer que, malgré l'ultimatum que je viens de recevoir, j'ai décidé de ne rien changer à mes habitudes. De cette façon, je ne risque pas de donner l'impression à mes ennemis de prendre leur menace vraiment au sérieux. Bien sûr, j'ai fait évacuer les quartiers environnant directement ce palais, mais

21

uniquement pour épargner des vies humaines. C'est la seule concession que j'ai accepté de faire.

— Croyez-vous que, réellement, vos adversaires frapperont comme ils vous en ont menacé ? interrogea Morane.

A nouveau, un pâle sourire apparut sur le visage maigre du président.

— Les douze heures fixées sont maintenant écoulées, fit-il. Peut-être me laisse-t-on un dernier délai. Un peu de rabiot, comme vous dites dans votre argot. Je ne sais... Comme vous, j'attends... peut-être le pire...

— J'admire votre courage, Excellence, dit Morane. A tout moment ce palais peut être bombardé, dévoré par les flammes. Au lieu de fuir comme beaucoup d'autres auraient fait à votre place, vous êtes là à expédier les affaires courantes, à recevoir des visiteurs...

— En demeurant ici, je ne fais que mon devoir, répondit Cerdona. Votre courage à vous est bien plus admirable encore. Après tout, les affaires du Pérou, et surtout les malheurs qu'il traverse en ce moment, ne vous concernent pas. Malgré cela, vous êtes venus vous aussi dans ce palais, en dépit de la menace.

En signe d'embarras, Bob Morane se passa les doigts de la main droite dans les cheveux, puis il se mit à rire.

— Depuis huit jours, Excellence, Bill et moi tentons en vain d'obtenir de vous une entrevue et, comme nous venons d'y parvenir enfin, nous devrions renoncer à vous rencontrer, tout simplement parce qu'un quelconque scélérat a décidé de commettre de nouveaux crimes. Pour tout vous dire, ni Bill ni moi ne nous en laissons davantage imposer. Et puis, nous avons de la suite dans les idées.

Pendant un moment Bob se tut et demeura pensif. Finalement il releva la tête et demanda :

— Avez-vous une idée quelconque en ce qui concerne l'identité des auteurs de ces bombardements sauvages, Excellence ?

Cerdona eut un geste vague.

— Une idée ? Oui et non... Tout d'abord, j'ai pensé qu'il pouvait s'agir d'anciens partisans de Miguel Vocero, puis j'ai changé d'avis. Vocero et ses pareils auraient employé des avions pour effectuer ces bombardements. Or, et ceci n'a pas encore été porté à la connaissance du public, nous avons découvert sur les lieux des différents sinistres des débris qui tendraient à prouver que les bombardements ont été effectués à l'aide de missiles. Ceux-ci pourraient être lancés de bases situées sur un territoire voisin, mais également de l'intérieur du Pérou. Le pays est vaste et il comporte de grandes étendues désertiques, des forêts impénétrables, des montagnes inaccessibles où il serait relativement aisé d'établir secrètement des rampes de lancement. A condition d'en avoir les moyens, bien sûr...

— Des missiles, fit Morane d'une voix rêveuse. Evidemment, cela éclaircit un peu le mystère. Pourtant, ce qu'il faudrait connaître, c'est le nom de celui ou de ceux qui provoquent ces bombardements. De cette façon, vous pourriez savoir d'où vient la menace et y parer.

Ambrosio Cerdona écarta légèrement les bras en signe d'impuissance.

— Hélas, pour le moment je ne puis rien vous dire de plus. Tout comme vous, je suis dans l'ignorance. La police, l'armée ont enquêté mais sans parvenir à obtenir de résultats tangibles. Tout ce que nous pouvons faire, c'est attendre... Attendre que l'ennemi se découvre enfin et...

Une intense vibration déchira soudain le silence du dehors. Il y eut une série d'explosions fracassantes. Le sol trembla et la masse de pierre du palais parut soudain devoir être jetée de sa base. Les murs frémirent comme s'ils avaient été de carton. Les fenêtres se brisèrent, livrant passage à un souffle chaud et d'une violence telle que les trois occupants du salon, en même temps que les meubles, furent projetés sur le sol, tout comme si l'enfer lui-même venait de prendre possession des lieux.

Le premier, Bob Morane reprit ses esprits. Il était allongé sur le ventre avec, par-dessus lui, une table, heureusement légère, qui avait été balayée elle aussi par la déflagration. D'un mouvement d'épaules, il repoussa le meuble. Il se rendit compte alors qu'un liquide chaud coulait le long de sa joue. Il y porta la main, la retira poissée de sang provenant d'une longue estafilade, causée sans doute par un éclat de verre. La blessure devait être sans gravité, à peine une écorchure, et il n'y fit pas autrement attention. Il se releva et regarda autour de lui en appelant :

— Bill !... Excellence !...

Ballantine et le président Cerdona, indemnes eux aussi, s'étaient redressés. Aux explosions, un grand silence avait succédé. Puis, un peu partout, des cris d'appel fusèrent, dominés par les ronflements sourds des incendies naissants. Le désespoir se peignit soudain sur les traits d'Ambrosio Cerdona.

— Ils ont exécuté leur menace, murura-t-il d'une voix sourde. Ils ont exécuté leur menace...

— Allons nous rendre compte, fit Bob.

Déjà il courait vers la large porte-fenêtre, maintenant éventrée, qui s'ouvrait sur la place. Ballantine et Cerdona le suivirent et tous trois débouchèrent sur le balcon. Un effrayant spectacle s'offrit à leurs regards. Le palais lui-même n'avait pas été touché directement mais, tout autour, les engins avaient creusé d'énormes entonnoirs d'où jaillissaient des geisers provenant de conduites d'eau arrachées. Des blocs entiers de maisons avaient été soufflés. Sur ces décombres, l'incendie, provoqué par le phosphore, se propageait avec des ronflements de bête furieuse.

— Ils ont mis leur menace à exécution, répétait Ambrosio Cerdona. Ils ont mis leur menace à exécution...

Bob n'écoutait pas. Il avait les yeux fixés sur ce point brillant qui, jailli d'au-delà des montagnes, grossissait sans cesse dans le ciel. Un avion qui se dirigeait vers la ville dans le sifflement strident de ses réacteurs. Maintenant l'appareil, qui volait très bas, était tout proche ; il se mit à tourner en rond au-dessus du palais. Sur ses ailes disposées en V très ouvert, on ne distinguait aucune marque distinctive. L'avion tournait sans cesse au-dessus du quartier sinistré, à la façon d'un gigantesque oiseau de proie taillé dans du métal brillant.

Les yeux levés lui aussi vers le ciel, Ambrosio Cerdona crispait les mains avec fureur sur la balustrade.

— C'est lui ! disait-il. Comme les autres fois, il vient se rendre compte des dégâts, se repaître du spectacle des crimes de celui qui l'envoie.

Trois autres appareils étaient apparus dans le ciel. Ils avaient la même forme que le premier, et ils étaient eux aussi faits de métal brillant. Pourtant, sous les ailes, ils portaient les cocardes de l'armée de l'air péruvienne. A cette vue, une joie soudaine avait secoué le président Cerdona.

— La chasse ! fit-il d'une voix vibrante. Elle a pris l'air à temps cette fois, comme je l'avais ordonné !

Les trois chasseurs fonçaient vers l'avion inconnu, dont le pilote ne s'était sans doute pas encore rendu compte de leur approche. Presque aussitôt, on entendit le bruit sourd des mitrailleuses lourdes.

26

Le combat devait être de courte durée. Pressé par un adversaire plus nombreux, l'appareil non immatriculé rompit l'engagement et se mit à fuir en direction de la montagne. Il n'alla pas loin. A peine venait-il d'atteindre les limites de la ville, qu'une longue traînée de fumée noire s'échappa de l'un de ses réacteurs.

— Il a du plomb dans l'aile ! s'exclama Ballantine.

— Pas de doute là-dessus, enchaîna Morane. Touché comme il est, il ne peut plus aller bien loin...

Le fuyard perdait de la hauteur. Bientôt, il disparut non loin de la limite de la ville, derrière un groupe de collines.

— Il a dû atterrir, fit encore Morane.

Une soudaine fébrilité s'était emparée du président Cerdona.

— Vous avez raison, dit-il. Cette fois, nous tenons notre gibier. Avec un peu de chance, le pilote sera demeuré en vie. Nous pourrons le capturer et l'obliger à parler. Alors peut-être connaîtrons-nous enfin l'identité de ces gens qui, depuis un mois, terrorisent le pays.

Cerdona jeta un dernier regard en direction des trois chasseurs, qui, à présent, tournaient en rond au-dessus de l'endroit où avait disparu l'appareil ennemi. Ensuite, Cardona se tourna vers Morane et Ballantine, pour dire :

— Je vais me rendre au plus vite, en voiture, sur les lieux. Puisque vous avez risqué votre vie à mes côtés dans ce palais et que vous êtes venus ici pour en savoir davantage, je vous autorise à m'accompagner. Ainsi, votre curiosité sera satisfaite.

Ni Morane ni Ballantine ne se firent prier. Déjà, Ambrosio Cerdona s'était élancé en courant à travers le palais. Sans attendre, les deux amis se précipitèrent à sa suite.

CHAPITRE III

S'éloignant du palais gouvernemental aux vitres brisées, aux portes et fenêtres arrachées, les deux puissantes voitures avaient traversé les quartiers dévorés par les flammes et où s'affairaient les pompiers, pour s'engager dans des rues où, maintenant que l'alerte était passée, se pressait toute une foule excitée. L'auto de police, qui suivait celle où avaient pris place le président Cerdona, Morane et Ballantine, actionnait sa sirène. Sur le passage des deux véhicules, le vide se faisait comme par enchantement. Parfois des cris fusaient :

— *Viva Ambrosio Cerdona !... Viva El Padre del Pueblo !... Viva Ambrosio Cerdona !...*

Les derniers événements, et surtout l'acte de courage de Cerdona qui, malgré le danger, était demeuré à son poste, avaient encore augmenté sa popularité. Il était évident cependant, comme Cerdona devait s'en rendre compte lui-même, que cet état de choses ne pouvait durer. Rien n'est en effet plus instable que l'engouement des foules. Il était à prévoir que, tôt ou tard, si la situation s'éternisait, les sentiments envers Cerdona changeraient. Peut-être même finirait-on par le rendre responsable de ces bombardements et souhaiterait-on qu'il donne sa démission.

Avec acuité, Morane se rendait compte que, pour le président, il était urgent de donner une identité à ses mystérieux ennemis. De cette façon, il pourrait à son tour les attaquer et tenter de les vaincre. Tant qu'il aurait le peuple péruvien derrière lui, cela serait possible. Dans le cas contraire, il lui faudrait s'avouer vaincu.

À se trouver ainsi étroitement mêlé à une affaire de laquelle dépendait le bonheur de plusieurs millions d'êtres humains, Morane se sentait saisi par la fièvre de l'action, et la certitude que la cause de Cerdona était juste aggravait encore cet état d'esprit. A travers toute la capitale péruvienne, Bob avait pu, depuis une semaine, contempler les traces sinistres laissées par ces bombardements aveugles. Tout à l'heure encore, il avait failli, ainsi que Bill, être victime de l'un d'eux. Il lui suffisait à présent de se retourner pour apercevoir, par la custode arrière de la voiture, de hautes volutes de fumée qui, par-dessus les toits, marquaient l'emplacement des incendies.

De son côté, Ballantine devait nourrir des sentiments semblables car, instinctivement, les regards des deux amis se croisèrent. Dans les yeux de Bill, Morane lut une volonté égale à la sienne et il sut que, si le président Cerdona le désirait, il trouverait à ses côtés deux rudes partisans qui, à la moindre alerte, se changeraient en défenseurs acharnés.

Après avoir traversé le centre de la capitale, puis ses faubourgs, les deux voitures s'engagèrent sur une large route conduisant vers l'est, en direction des hautes cordillères.

De chaque côté de la chaussée, des cultures s'étageaient à flanc de collines. Souvent, on croisait ou dépassait de petits groupes de paysans indiens aux cheveux nattés et porteurs de chapeaux de feutre aux bords plats et à la coiffe arrondie.

Toujours accompagnées du bruit des sirènes, les deux voitures fonçaient à toute allure en direction de l'endroit où avait disparu l'avion abattu et au-dessus duquel les trois chasseurs continuaient à voler en rond.

Finalement, on s'engagea sur une route secondaire bifurquant vers la droite. Pendant cinq nouvelles minutes, les deux autos roulèrent jusqu'à ce que leurs passagers aperçoivent un groupe de paysans qui, arrêtés sur le bord de la route, parlaient et gesticulaient avec animation. Les voitures stoppèrent. Bob Morane, Ballantine, le président Cerdona et les policiers de l'escorte mirent pied à terre. A leur approche les paysans s'écartèrent et ils purent alors apercevoir l'épave de l'avion. Celui-ci se trouvait à deux cents mètres à peine de la chaussée, couché sur le ventre au fond d'un ravin aux pentes douces. Derrière l'appareil d'épais bosquets formaient une forêt vierge en miniature.

Pendant un long moment, Morane et ses compagnons demeurèrent près des paysans qui, selon toute apparence, n'avaient pas encore osé s'approcher de l'avion. Tout à coup, le cockpit s'ouvrit et le pilote, qui sans doute était demeuré évanoui jusque-là, sauta au-dehors. Il regarda autour de lui puis, apercevant les hommes au sommet de la pente, il se mit à contourner l'épave et à courir vers les buissons. Un policier hurla, braqua son arme.

— Arrêtez !...

Le fuyard ne parut pas entendre et continua à courir. Quelques détonations claquèrent. Mais le pilote avait déjà gagné l'abri des bosquets.

— Poursuivons-le, hurla Cerdona, ou il va nous échapper !

Morane dévalait déjà la pente à toute allure. En quelques bonds, il atteignit l'épave de l'appareil, la contourna à son tour et fonça à travers les broussailles.

Tout d'abord Morane put aisément suivre la piste du fuyard à travers les bosquets touffus. Les basses branches étaient foulées, piétinées. Plus haut, d'autres pendaient, arrachées. En outre, le bruit produit par la course du pilote le guidait : piétinements, froissements de branchages... Cependant, bientôt, tout bruit cessa et il sembla que le fuyard, se sachant poursuivi, prenait garde de ne plus laisser la moindre trace de son passage. C'était à peine si, de temps à autre, quelques brindilles brisées indiquaient à Morane qu'il se trouvait sur la bonne voie. Finalement pourtant, tout indice se mit à manquer. Autour de Bob, ce fut le silence total. Il avait beau prêter l'oreille, il ne discernait plus le moindre bruit. Il devina que le pilote, comprenant qu'il finirait tôt ou tard par être rejoint s'il continuait à fuir, avait choisi d'attendre son poursuivant et de l'attaquer sans lui laisser le loisir de se défendre. Morane réalisa alors combien il avait été imprudent de se lancer ainsi, seul, à la poursuite d'un adversaire résolu à tout et qui, pour défendre sa liberté ou sa vie, ne reculerait devant aucune traîtrise.

Bob demeurait debout au milieu des bosquets, se demandant d'où viendrait l'attaque. Il continuait à prêter l'oreille, mais s'il percevait maintenant de nouveaux bruits, c'étaient ceux produits par les policiers qui s'étaient à leur tour engagés dans les broussailles. Arriveraient-ils à temps pour cerner le fuyard et l'empêcher d'attaquer.

Tous les sens aux aguets, Morane attendait. Il y eut un craquement derrière lui, suivi d'un halètement. Presque aussitôt, deux mains vigoureuses le saisirent par-derrière. Des doigts nerveux se serrèrent sur sa gorge. L'étreinte était solide et rapidement l'air vint à lui manquer. Contractant les muscles de son cou, il pivota sur lui-même de gauche à droite, frappant vers l'arrière de ses coudes écartés. Un cri de douleur lui apprit qu'un de ses coups, atteignant sans doute son adversaire à hauteur des fausses côtes, avait porté. Déjà l'étreinte se desserrait. D'un sursaut Morane se dégagea tout à fait et fit volte-face. Sans perdre de temps à dévisager son adversaire, il frappa à nouveau, du poing cette fois. Touché à la pointe du menton, l'homme tomba en arrière. Il voulut se redresser mais Morane s'était précipité sur lui et lui avait tordu le bras droit en un classique armlock de jiu-jitsu. Sous la douleur, l'homme grogna et demeura immobile.

Tout près maintenant, des appels retentissaient. Bob reconnut la voix de Ballantine.

— Commandant ! Où êtes-vous ?... Où êtes-vous donc ?... Commandant...

Sans relâcher prise, Morane tourna la tête du côté d'où venaient les appels.

— Par ici, Bill... Par ici... Je tiens notre gibier...

Quelques secondes plus tard, Ballantine faisait son apparition, suivi de près par le président Cerdona et les policiers qui, aussitôt, braquèrent leurs armes vers le groupe formé par Morane et le fuyard. Bob se redressa et recula de quelques pas, dit :

— Voilà votre homme, Excellence... Il vous reste maintenant à l'interroger. Peut-être parviendrez-vous à en tirer quelque chose...

Ambrosio Cerdona se contenta de hocher la tête. C'était un homme paisible. Visiblement, l'obligation dans laquelle il se trouvait de livrer le prisonnier aux policiers lui pesait. Finalement cependant il leur désigna le pilote, qui s'était redressé, en disant :

34

— Menons-le jusqu'à la voiture. D'ici là, il aura le loisir de réfléchir à sa position et il se décidera peut-être alors à parler sans contrainte...

Depuis sa capture, le pilote n'avait pas proféré une seule parole. Ce fut toujours avec le même mutisme qu'il se laissa entraîner en direction de la route.

CHAPITRE IV

Le chef des policiers se tourna d'un air las vers le président Cerdona.

— Nous n'en tirerons rien, Excellence, dit-il en laissant retomber le long de son corps son bras droit armé d'un revolver. Nous n'en tirerons rien... Peut-être la torture... Mais je sais que vous refusez à employer ce genre de méthode...

Le soir tombait. On avait allumé les phares des voitures qui éclairaient la scène. Le prisonnier était assis sur une grosse pierre, au bord de la route et, sur son visage basané et éclairé par de petits yeux noirs, sournois, une indifférence feinte se lisait seule. Bien qu'on l'eût fouillé consciencieusement, on n'avait découvert aucun papier, aucun objet qui eût pu être l'amorce d'une piste, fournir un indice sur l'origine de l'appareil abattu. Quant à tirer le moindre renseignement du pilote lui-même, il semblait vain d'y songer. Depuis sa capture il n'avait pas desserré les dents. A toutes les questions, il n'avait répondu jusque-là que par un mutisme total. Naturellement la torture, ou tout au moins un solide passage à tabac, aurait peut-être eu raison de cet entêtement mais, comme l'avait dit le chef des policiers, Cerdona se refusait à employer de tels procédés. Morane et Ballantine ne pouvaient que l'approuver. Ambrosio Cerdona avait jadis soulevé le pays contre le tyran Miguel Vocero, justement parce que ce dernier employait de semblables méthodes pour arracher des aveux à ses prisonniers, et il ne voulait pas, toute pitié personnelle mise à part, commettre les mêmes excès.

— Nous n'avons plus rien à faire ici, dit Cerdona. Emmenons notre homme à Lima. Là peut-être, en fouillant dans les dossiers de la sûreté et de la police, parviendrons-nous à établir son identité et, ainsi, le démasquer et connaître son histoire.

— Ce sera long, fit remarquer le chef des policiers, et cela ne nous mènera sans doute à rien. Sans vouloir me montrer méchant, Excellence, je crois que nous ferions bien de secouer un peu ce scélérat afin de l'engager à être plus bavard. Après tout, il est le complice de ces gens qui, depuis plusieurs semaines, terrorisent nos grandes cités, ruinant celles-ci et tuant plusieurs centaines de leurs habitants. Avec de tels bandits, la pitié et l'humanité se transforment en faiblesse...

Mais Cerdona ne semblait pas vouloir se laisser convaincre. Il secoua la tête.

— Non, inspecteur, dit-il, l'humanité n'est jamais de la faiblesse. N'oubliez pas qu'il est écrit que celui qui se servira de l'épée périra par l'épée. Souvenez-vous de Miguel Vocero, qui a péri comme il a vécu, dans la violence. Voilà pourquoi jamais je ne m'aventurerai dans cette voie. Tant que le peuple péruvien m'accordera sa confiance, pas un individu, si méprisable fût-il, ne connaîtra la torture par mes soins ou ceux des hommes qui se trouvent sous mes ordres.

Le policier n'insista pas.

— Ce sera comme vous voudrez, Excellence, dit-il. Ordonnez, je n'ai qu'à obéir.

— Nous allons regagner Lima, fit encore Cerdona. Postez des hommes au fond du ravin, près de l'épave de l'avion. Demain, nous enverrons des experts pour inspecter celui-ci et tenter d'en déterminer exactement l'origine. Il s'agit d'un appareil de construction britannique. Il y a quelques années, le gouvernement péruvien en a acheté quelques dizaines de ce type. Peut-être parviendrons-nous à identifier celui-ci...

A ce moment, une voiture longue et basse, de couleur gris clair, jaillit tous feux éteints des ténèbres. Elle passa derrière les autos à l'arrêt et Morane, qui était tourné de ce côté, vit qu'il y avait deux hommes à bord. Celui qui se trouvait assis à côté du conducteur braquait une Uzi.

— Tous à terre ! hurla Bob.

D'une poussée vigoureuse, il jeta le président Cerdona sur le sol, s'allongea en même temps lui-même à plat ventre. Les autres avaient suivi son exemple. Juste à temps. Une longue rafale de mitraillette crépita.

L'auto grise avait déjà disparu au détour de la route.

D'un bond Morane se redressa.

— Personne de touché? interrogea-t-il.

Tous étaient indemnes, sauf le prisonnier. Frappé en plein par la rafale, il était tombé de la pierre sur laquelle il était assis, la poitrine percée d'une dizaine de balles.

— Le malheureux, fit Ambrosio Cerdona. Sans doute ces balles m'étaient-elles destinées, et c'est lui qui a été atteint à ma place...

Morane s'était précipité vers une des voitures en criant :

— Vite, Bill, tâchons de rejoindre ces salopards avant qu'ils n'aient pris le large...

Il s'installa au volant et mit le moteur en marche. Ballantine qui, au passage, avait arraché le revolver d'un des policiers, s'assit à ses côtés. Dans le bruit strident du moteur lancé sans ménagements, l'auto démarra, fouillant de ses phares la nuit maintenant tout à fait tombée et dans laquelle venait de se perdre l'auto grise.

— Ils ne se sont quand même pas volatilisés... Au train où nous allons, nous aurions dû déjà les avoir rejoints...

C'était Morane qui venait de parler. Les mains posées légèrement sur le volant, il menait la voiture à un train d'enfer. Pourtant, à la lueur des phares qui creusaient les ténèbres, ni Ballantine ni lui n'avaient encore aperçu l'auto qu'ils poursuivaient.

— Ils avaient pas mal d'avance, fit remarquer Ballantine, et peut-être leur voiture est-elle plus rapide que la nôtre.

Tout en continuant à surveiller attentivement la route, Bob Morane fit la grimace.

— S'il en est ainsi, nous avons peu de chance de les rejoindre... Pas question de faire avancer la voiture plus vite. J'ai le pied au plancher...

La route amorçait un large virage. Bob prit celui-ci avec soin, mais presque sans ralentir, et les pneus crissèrent sur la chaussée. Comme le véhicule reprenait la ligne droite, Ballantine hurla :

— Les voilà !...

L'auto grise se trouvait à deux cents mètres à peine. La lumière des phares, frappant en plein ses catadioptres, faisait briller ceux-ci tels deux grands yeux rouges d'albinos.

Au bout d'un moment, il n'y eut plus à douter : la voiture pilotée par Morane gagnait du terrain. De deux cents mètres séparant initialement les deux véhicules, la distance se réduisit bientôt à cent mètres.

— Allez-y, commandant ! jeta Ballantine. Encore un coup d'accélérateur et on les rejoint !

Poussée au maximum, la voiture vibrait tel un monstre en fureur. Tout à coup, là-bas sur le flanc droit de la voiture grise, de petites flammes rouges apparurent, suivies d'un crépitement caractéristique.

— La mitraillette ! fit Morane en serrant les dents. Ces ordures nous canardent...

A la vitesse où les deux voitures se trouvaient lancées, le tireur ne pouvait ajuster son tir et les balles se perdirent. Un second virage s'amorça. L'auto grise s'y engagea à toute allure puis soudain, comme elle allait se remettre dans la ligne droite, un de ses pneus arrière éclata. Elle pencha de côté, glissa vers la gauche dans un miaulement sinistre. Le chauffeur voulut la redresser mais il n'y parvint pas. Le véhicule n'avait pas encore perdu suffisamment de vitesse pour obéir immédiatement, dans l'état de déséquilibre où il se trouvait, aux manœuvres de son pilote et à l'appel des freins. Il fut entraîné inexorablement vers le ravin bordant la route et y bascula, plongea dans les ténèbres. Une série de chocs sourds, puis le silence.

Déjà l'auto poursuivante avait dépassé les lieux de l'accident. Agissant progressivement sur les freins, Morane stoppa. Ensuite, faisant machine arrière, il revint vers l'endroit où l'auto grise avait disparu. Les deux hommes mirent pied à terre et, s'approchant du ravin, tentèrent de discerner quelque chose. L'obscurité était totale et ce fut en vain qu'ils essayèrent d'apercevoir les débris de l'auto grise.

— La voiture que nous avons empruntée appartient à la police, fit remarquer Bill. Ce serait bien le diable si je ne parvenais pas à y dénicher un éclairage quelconque.

Quittant le bord du ravin, le colosse se dirigea vers l'auto. Au bout de quelques minutes, il revint porteur d'une grosse lampe baladeuse.

— J'avais raison de penser que nos policiers étaient des gens de précaution, dit Ballantine.

Il avait mis la lampe en batterie. Le puissant faisceau de lumière fouilla les profondeurs du ravin, se fixa sur les débris tordus de l'auto grise qui était allée se fracasser cent mètres plus bas contre un groupe de rochers. Aucun signe de vie ne se manifestait à bord ni dans les parages.

— N'a pas l'air d'avoir quelqu'un de vivant là en bas, fit l'Ecossais.

Morane secoua la tête.

— Il faudrait au moins être Superman pour résister à une chute pareille. Le mieux que nous ayons à faire serait d'aller jeter un coup d'œil sur place.

Les deux amis s'engagèrent sur la pente. Au bout de quelques minutes d'une descente sans histoire, ils parvinrent auprès des restes fracassés de l'auto grise. Les deux passagers se trouvaient toujours à bord, mais ils étaient morts à présent. Après avoir tiré leurs corps des décombres, Morane et Ballantine les examinèrent. L'un d'eux était un petit homme au teint basané et aux cheveux rares. Le second avait approximativement la stature de Morane. Bien entendu, tous deux étaient inconnus aux deux amis.

— Fouillons-les, dit Bob. Peut-être trouverons-nous quelque chose d'intéressant...

Ils eurent beau cependant inspecter les poches des deux victimes, ils n'y découvrirent rien d'autre que des revolvers dont les numéros avaient été limés, un couteau à cran d'arrêt et un coup-de-poing américain. Pas de papiers, pas de passeport, ni rien de ce genre.

— Décidément, dit Bob, ces gens-là s'entourent d'un luxe de précautions...

A ce moment, Ballantine poussa un léger cri de triomphe et tendit à son compagnon un morceau de papier plié en quatre, qu'il venait de découvrir au fond d'une petite poche pratiquée sous la ceinture du plus grand des deux hommes. Bob s'en empara, le déplia et, à la lueur de la lampe, lut les quelques mots qui s'y trouvaient écrits en espagnol :

Ce soir, 12 juin. Minuit très précis, à la Casa del Sol. Route de Callao.

— La *Casa del Sol,* fit Morane, la Maison du Soleil... Le 12 juin, c'est aujourd'hui. Evidemment, comme renseignement cela peut paraître fort pauvre ; mais qui sait, peut-être est-ce là le point de départ d'une piste qui permettra au président Cerdona de découvrir enfin l'identité de ses adversaires.

CHAPITRE V

Le président Cerdona tenait dans la lumière le petit papier trouvé par Ballantine sur l'un des passagers de l'auto grise.

Pour la cinquième fois peut-être, il le relisait :

Ce soir, 12 juin. Minuit très précis, à la Casa del Sol. Route de Callao.

Cerdona, Bob Morane et Bill Ballantine avaient regagné Lima et se trouvaient à présent, en compagnie du chef de la sûreté péruvienne, dans la villa privée du président. Cerdona reposa la feuille de papier devant lui, sur le bureau.

— Peut-être avez-vous raison, *señor* Morane, dit-il. Il peut s'agir là du point de départ d'une piste ; peut-être aussi d'ailleurs n'en est-il rien. De toute façon, puisque ces trois hommes, le pilote de l'avion et les passagers de l'auto grise, qui auraient pu nous fournir de précieux renseignements, sont morts, nous ne pouvons désormais rien négliger. Faute de mieux, nous allons suivre la piste de la *Casa del Sol*. Nous verrons où cela nous mènera.

Ambrosio Cerdona se tourna vers le clef de la sûreté, un homme de taille imposante, aux cheveux épais et noirs èt à la moustache fournie.

— Qu'en pensez-vous, *señor* Pererra ?

L'interpellé hocha la tête doucement.

— Ce que j'en pense, Excellence ? Je crois comme vous que nous ne pouvons rien négliger. Demain, quand nos experts auront étudié l'épave de l'avion, et aussi les débris de l'auto grise, peut-être découvrirons-nous un nouvel indice. En attendant il y a cette *Casa del Sol*... D'après les renseignements obtenus, il s'agit d'une villa assez vaste située sur la route de Callao. Jadis, elle aurait appartenu à un riche américain qui quitta brusquement le pays, après avoir eu maille à partir avec Miguel Vocero. Si, et tout permet de le supposer, l'homme sur lequel le billet a été trouvé avait un rendez-vous cette nuit dans cette villa, tout ce que nous avons à faire, c'est de cerner celle-ci pour tenter d'opérer un fructueux coup de filet.

Pererra jeta un rapide coup d'œil à sa montre-bracelet et continua :

— Il est à peine dix heures. Il me reste deux heures pour mettre au point mon dispositif. Cela me paraît amplement suffisant pour placer, autour de la *Casa del Sol,* quelques escouades de policiers, de façon à ce que personne ne puisse s'en échapper.

— Quelques escouades de policiers, fit Bob. Je ne crois pas que cela soit la bonne solution.

Pererra et le président Cerdona se tournèrent ensemble vers Morane.

— Pas la bonne solution ? interrogea Cerdona. Que voulez-vous dire ?

— Ce que je veux dire ? fit Bob. Tout simplement qu'un déploiement de force risquerait de donner l'éveil à l'ennemi qui, avant même que l'étreinte ne se referme sur lui, pourrait fort bien prendre le large. N'oubliez pas que la *Casa del Sol* est la seule piste que nous possédons pour l'instant. Nous ne pouvons nous permettre d'agir avec imprudence et de risquer de tout perdre.

Cerdona demeura un instant songeur.

— Je ne puis qu'approuver votre prudence, *señor* Morane, dit-il, mais je ne vois pas comment nous pourrions agir sans faire intervenir la police. Auriez-vous un autre plan ?

— Un autre plan, fit Bob avec un léger sourire, peut-être... Si toutefois on peut appeler cela un plan...

— Dites toujours...

Morane parut hésiter, puis il se décida soudain.

— Souvenez-vous, dit-il, que l'homme sur lequel Bill a trouvé le billet était, à peu de choses près, de ma taille et de ma corpulence. Comme il semble qu'il avait rendez-vous à la *Casa del Sol,* voilà ce que je propose : je vais prendre sa place et tenter de m'introduire dans la villa. Bill m'accompagnera dans une voiture pourvue d'un poste émetteur de radio à ondes courtes. De cette façon il pourra rester en contact avec les forces de police qui demeureront à quelques kilomètres de là et se tiendront prêtes à intervenir à la moindre alerte. De mon côté, je pénétrerai seul dans la villa et essayerai de tromper ses occupants sur mon identité. Ainsi, il me sera peut-être possible d'apprendre quelque chose sans courir le risque d'effaroucher l'adversaire.

— Et si vous vous trouvez en difficulté sans avoir la possibilité de nous avertir, demanda Pererra ?

— Je serai armé, fit Bob, et peut-être le savez-vous, je suis de taille à me défendre quand cela se révèle indispensable. Bien entendu, pour que je puisse mener à bien cette entreprise, il faut que vous nous fassiez totalement confiance, à Bill et à moi...

— Si nous ne vous faisions pas confiance, remarqua le président Cerdona, vous ne seriez pas ici en ce moment, votre ami et vous. Je vous connais de réputation, *señor* Morane, et aussi le *señor* Ballantine, et je sais qu'aucun de vous deux n'est capable de trahison. Vous ne pouvez donc, en aucune circonstance, avoir pris ou prendre le parti des lâches adversaires qui terrorisent notre population. Si le *señor* Pererra n'a aucune remarque à formuler, je crois que nous pouvons adopter votre plan...

Le président s'était tourné vers le chef de la sûreté. Celui-ci dodelina longuement de la tête.

— En principe je trouve ce plan parfait, dit-il, sauf qu'il ne va pas sans faire courir de sérieux risques au *señor* Morane. Pourtant si celui-ci désire les assumer...

— Je courrai ma chance, fit Bob. Bill et moi avons surmonté déjà bien des situations difficiles. En y mettant un peu de bonne volonté, nous nous en tirerons cette fois encore.

*
**

— Ne croyez-vous pas, commandant, que vous vous êtes engagé un peu à la légère dans toute cette histoire ?

Bob Morane ne répondit pas tout de suite et jeta un rapide coup d'œil au cadran lumineux de sa montre-bracelet. Il était minuit moins le quart et Bill et lui roulaient à une allure modérée sur la route de Callao en direction de la *Casa del Sol*. Grâce aux renseignements obtenus du chef de la sûreté, ils en connaissaient maintenant l'emplacement exact.

— A la légère, fit finalement Morane. Peut-être Bill, peut-être... Pourtant, le hasard est encore une fois responsable de tout. En effet, n'a-t-il pas fallu que nous obtenions rendez-vous avec le président Cerdona au moment même où ces maudits pétards devaient éclater ? Tu as pu te rendre compte toi-même des dégâts. S'il n'y a pas eu de victimes cette fois c'est grâce à la prévoyance de Cerdona qui avait fait évacuer les quartiers environnant le palais gouvernemental. Puisque nous avons été ainsi, malgré nous, mêlés à cette affaire, nous ne pouvions nous en désintéresser sans faire preuve de lâcheté. Et puis, entre nous, Bill, Cerdona a besoin d'un solide coup d'épaule. Si cela continue de cette façon, le peuple péruvien ne tardera pas à le lâcher. Tu sais comment cela va ; la foule est pour vous aux heures d'abondance mais l'adversité la faite vite se détourner.

Tout en continuant à conduire avec attention, l'Ecossais hocha doucement la tête.

— Sans doute avez-vous raison, commandant, sans doute avez-vous raison...

— Ne m'appelle plus commandant, Bill. Je t'ai déjà dit des centaines de fois que je ne commandais plus rien du tout...

— Je sais, commandant, je sais...

Les deux amis se mirent à rire silencieusement et n'échangèrent plus une seule parole. Pendant quelques minutes encore, l'auto continua à rouler. Il était minuit moins cinq quand Ballantine désigna, entre les arbres, sur le côté gauche de la route, la tache blanche d'une maison importante.

— Je crois que nous sommes arrivés à destination. Voyez ces trois palmiers de chaque côté de la façade et la haie d'hibiscus qui longe la route. Tout concorde avec les renseignements fournis par le *señor* Pererra.

Ballantine avait arrêté la voiture sur le bord de la chaussée.

— Tu as raison, Bill, nous sommes arrivés à destination, fit Morane. Je me demande ce que me réserve ce mystérieux rendez-vous.

— Ce que cela vous réserve, commandant?... Vous allez une fois encore vous jeter dans la gueule du loup, tout simplement.

Morane demeura silencieux. Un peu d'inquiétude était apparue sur son visage aux traits soudain durcis. Finalement il se secoua et frappa du plat de la main sur le côté gauche de sa poitrine, là où se trouvait un revolver glissé dans un étui.

— Bah! fit-il. Après tout, un loup n'est jamais qu'un loup, et si cela devient indispensable, j'apaiserai sa faim avec quelques bons petits lingots de plomb.

Morane se retourna et pêcha sur le siège arrière un chapeau de feutre léger, dont il se coiffa en rabattant avec soin le bord sur son visage.

— Me voilà paré, dit-il. Minuit approche... Il me reste à être exact au rendez-vous. De ton côté, Bill, si tu entends des coups de feu, tu te mets aussitôt en rapport, par radio, avec Pererra pour lui demander de l'aide. En même temps, tu mets la voiture en marche afin que nous puissions démarrer aussitôt. Il est fort possible que je sois obligé de quitter cette villa un peu à la façon d'un diable qui jaillit de sa boîte...

Morane ouvrit la portière, mit pied à terre. Sans se détourner, il se mit à longer à pas lents la haie d'hibiscus au milieu de laquelle s'ouvrait l'allée menant à la villa.

CHAPITRE VI

Morane s'était arrêté à l'entrée de l'allée, sous un porche autour duquel les hibiscus croulaient de partout en grappes rouges. La lune, haute dans le ciel, éclairait presque comme en plein jour. L'allée, longue d'une centaine de mètres et envahie par les mauvaises herbes, conduisait à un large perron aux marches de marbre menant à une porte vitrée derrière laquelle brillait une faible lumière. Un silence total. Morane se sentit saisi soudain par l'angoisse. Celle-ci l'oppressait, rendant son souffle court. Il avait la sensation qu'un destin redoutable l'attendait là-bas derrière cette porte et, pendant un moment, il eut la tentation de retourner sur ses pas.

Il se secoua, glissa la main dans l'échancrure de sa veste et toucha la crosse du revolver. Ce contact froid et dur le rassura. Un revolver c'était une chose horrible, faite pour tuer, et pourtant, à certains moments, il pouvait se changer en un ami sûr, qui balayait toute peur, insufflait une force nouvelle à l'homme désemparé.

Bob sourit et jeta à nouveau un regard à sa montre. Il était minuit moins une minute. Il pensa :

« Le billet disait minuit précis... Ceux qui m'attendent dans la villa ne pourront me reprocher de manquer d'exactitude. Mais je puis être tranquille, nous trouverons bien d'autres sujets de désaccord... »

A pas lents, il s'engagea dans l'allée. Le gravier, dissimulé par les herbes folles, craquait sous ses semelles.

Bob avançait la tête un peu baissée, de façon à ce que le bord du chapeau, projetant de l'ombre sur son visage, l'empêchât d'être reconnu par d'éventuels observateurs. Ceux-ci, s'ils existaient, devaient connaître les traits de l'homme tué là-bas dans l'accident de l'auto grise. Il ne fallait pas, du moins pour l'instant, qu'ils s'aperçoivent que quelqu'un d'autre avait pris sa place.

Bob avait atteint le perron. Il se mit à gravir les degrés pour s'arrêter devant la porte vitrée, au-delà de laquelle brillait toujours la lumière diffuse de tout à l'heure. Une fois encore, Morane consulta sa montre : minuit précis. C'est alors que, venant de l'intérieur de la villa, une voix retentit, étouffée :

— Entrez... Mais entrez donc...

Bob s'était immobilisé, tous les sens aux aguets. Au bout de quelques secondes la voix répéta :

— Entrez donc... Mais entrez donc... Nous vous attendions...

Cette fois, Morane se décida. Il posa la main sur le bec-de-cane, l'abaissa et poussa la porte qui s'ouvrit sans le moindre grincement. Bob pénétra alors dans un vaste salon, encombré de meubles recouverts de housses et où régnait une odeur prononcée, agressive, de moisissure et de poussière. Selon toute probabilité, cette pièce ne devait plus être habitée depuis un certain temps. Au fond, une tenture de tissu clair, à demi transparent, fermait ce qui devait être une pièce plus petite. C'était de derrière cette tenture que provenait la lumière diffuse aperçue un peu plus tôt. Mais ce qui retint surtout l'attention de Bob, ce fut cette silhouette d'homme se découpant en ombre chinoise sur le rideau. Le personnage semblait être assis à une table et se tenait immobile.

Morane s'était arrêté au centre du salon. Lentement, il glissa la main sous le revers gauche de son veston et saisit à pleine main la crosse du revolver, prêt à dégainer à la moindre alerte. Alors, sans cesser de fixer l'ombre derrière le rideau, il attendit.

Au bout de quelques secondes, la voix retentit à nouveau, mais plus nettement cette fois. Elle venait de derrière le rideau :

— Avez-vous accompli votre mission ?

Bob n'hésita pas et répondit d'une voix aussi plate que possible afin de cacher le léger accent d'étranger de son espagnol :

— J'ai accompli ma mission comme il m'a été indiqué.

Il y eut un long moment de silence, dix secondes peut-être, puis l'homme derrière le rideau demanda encore :

— Ambrosio Cerdona est-il mort ?

Cette question ne prit pas Morane au dépourvu. Il s'y attendait un peu. Pourtant il se demanda ce qu'il devait répondre. Si l'homme, là, derrière le rideau, savait que le président avait échappé à l'attentat, il serait démasqué en répondant par l'affirmative. Malgré le danger, il décida cependant de précipiter les événements.

— Le président Cerdona est bien mort, dit-il.

Il s'attendait à une réaction soudaine de la part de son interlocuteur. Pourtant, rien ne vint. A nouveau, une dizaine de secondes s'écoulèrent, puis la voix se fit à nouveau entendre.

— C'est bien. Notre entrevue est terminée. Vous pouvez vous retirer...

La voix fut coupée et c'est alors que Morane ouït un bruit de déclic, presque imperceptible. Depuis son entrée dans la pièce, il s'était étonné de l'immobilité du personnage assis derrière le rideau, et aussi du laps de temps s'écoulant entre chacune de ses réponses et une nouvelle question. Ce bruit de déclic venait d'être pour lui comme une révélation. Arrachant le revolver de son étui, il bondit et écarta le rideau pour déboucher dans une petite pièce aux fenêtres soigneusement aveuglées. Au centre, une grande table derrière laquelle un mannequin vêtu d'un complet noir était assis dans l'attitude d'un homme accoudé. Près de la table, posé sur le sol, un magnétophone maintenant arrêté et, derrière ce magnétophone, un petit poste émetteur de radio avec son micro.

Maintenant Morane savait la raison de l'immobilité de son interlocuteur. Il connaissait aussi le pourquoi de ces longues secondes de silence, entre chaque réponse et chaque nouvelle question. Alors, soudain, il éclata de rire, comme sous l'effet d'une joyeuse plaisanterie.

Morane, Bill Ballantine et le chef de la sûreté étaient maintenant réunis près de la table, derrière laquelle trônait toujours le mannequin vêtu de noir. Dans le grand salon, les policiers s'affairaient à la recherche d'éventuels indices.

Bob avait rebobiné la bande d'enregistrement du magnétophone. Il poussa à nouveau sur le bouton de mise en marche. Il y eut un moment d'attente, puis la voix de tout à l'heure se fit entendre :

« Entrez... Mais entrez donc... »

Un long silence puis la voix reprit :

— « Entrez... Mais entrez donc... Nous vous attendions... »

A nouveau le silence, puis la demande :

— « Avez-vous accompli votre mission ? »

Nouvelle interruption de douze à quinze secondes.

— « Ambrosio Cerdona est-il mort ? »

Nouveau silence, un peu plus long cependant que le précédent, et ensuite :

— « C'est bien. Notre entrevue est terminée. Vous pouvez vous retirer… »

Il y eut un léger déclic et le magnétophone s'arrêta automatiquement.

Morane, Ballantine et Pererra se regardèrent sans mot dire, puis Bill se mit à ricaner doucement.

— Pas mal imaginé le petit truc, fit-il. Voilà une façon pratique pour un chef de bande de s'entretenir avec ses complices sans courir le risque d'être coincé, au cas où l'un de ceux-ci serait filé par la police.

— L'ennemi du président Cerdona a, en effet, pas mal d'imagination, fit Morane à son tour. Les passagers de l'auto grise avaient suivi le président pour l'abattre, là-bas sur la route. Sans doute d'ailleurs attendaient-ils cette occasion depuis pas mal de temps. Une fois leur forfait perpétré, l'un d'eux devait se rendre ici, à minuit très précis… Pourquoi très précis ? Tout simplement pour que, à l'instant même où il se présentait à la *Casa del Sol,* un système électronique déclenche le magnétophone. Les questions étaient préparées et enregistrées avec, entre elles, des silences suffisamment longs pour laisser au visiteur le temps de répondre. Ces réponses étaient captées par le micro du poste émetteur de radio et transmises je ne sais où, sans doute sur une longueur d'onde spéciale. Le mannequin assis derrière la table et silhouetté seulement à travers le rideau, devait parfaire l'illusion qu'avait le visiteur de s'être entretenu avec son chef. De toute façon celui-ci ne courait aucun risque. Si son complice avait été suivi, tout ce que la police pouvait découvrir, comme nous venons de le faire, c'était un mannequin, un magnétophone et un poste émetteur d'ondes courtes totalement anonyme.

Doucement, Pererra secoua la tête de gauche à droite.

— Vous avez raison, *señor* Morane. Nos ennemis sont astucieux et redoutables. Ils ne reculent devant aucun moyen pour parvenir à leurs fins, tout en s'entourant en même temps d'un luxe parfait de précautions.

Le chef de la sûreté se tut et demeura songeur.

— Tous nos espoirs ont donc été vains, reprit-il finalement. Nous comptions obtenir des renseignements précieux ici, peut-être même parvenir à nous emparer de quelques-uns de nos adversaires, si ce n'est de leur chef lui-même. Au lieu de cela, comme vous venez de le dire, *señor* Morane, nous n'avons découvert qu'un mannequin, un magnétophone et un poste émetteur anonyme. Notre échec est donc complet et le mystère qui entoure nos ennemis demeure aussi total qu'auparavant. Tout ce qui nous reste à espérer, c'est que nos hommes découvrent quelque indice dans cette maison...

— A votre place, fit Bob, je ne compterais

pas trop là-dessus. Nos ennemis sont trop rusés pour laisser des traces derrière eux.

— Sans doute voyez-vous juste, *señor* Morane. Reste l'épave de l'avion abattu et les débris de l'auto grise... Peut-être nos experts réussiront-ils à en tirer quelque chose. Pourtant, je commence moi-même à en douter... Nous sommes tenus en échec sur toute la ligne...

En direction de la capitale, le bruit sourd d'une explosion retentit, atténué par la distance mais cependant suffisamment significatif.

— Voilà que ces salopards recommencent leurs petits feux d'artifice meurtriers, dit Ballantine avec de la colère dans la voix.

Bob serra les poings sans mot dire. Il savait que le président Cerdona venait de perdre une nouvelle manche de la bataille dans laquelle il se trouvait engagé contre un adversaire anonyme et cruel. Bientôt peut-être, terrorisé par les bombardements, les nerfs usés par la menace latente, le peuple demanderait-il d'une seule voix que Cerdona donne sa démission pour mettre fin à cette terreur. Quitte à ce que le Pérou tout entier soit écrasé aussitôt sous le poids d'une nouvelle tyrannie.

CHAPITRE VII

Bill Ballantine fit claquer son poing droit, gros comme un melon, dans la paume de sa main gauche. Sa voix tonna :

— J'en ai assez, commandant, j'en ai assez ! J'ai l'impression d'être dans la peau de cet homme qui venait au cirque dans le seul but de voir le lion dévorer son dompteur...

— J'ai la même impression que toi, Bill, fit Morane. Il faut que quelque chose se passe, ou bien ?

L'Ecossais éclata de rire.

— Que quelque chose se passe ?... fit-il en écho. Voilà huit jours que nous avons visité la *Casa del Sol* et, depuis, bernique... Les experts qui ont examiné l'épave de l'avion abattu et les débris de l'auto grise n'ont pu rien en déduire. L'appareil était un ancien chasseur de l'armée de l'air péruvienne, acheté à l'époque de Miguel Vocero et dont on avait soigneusement gratté les marques distinctives. Quant à l'auto grise, il s'agissait d'une voiture volée voilà près d'une année à un touriste australien...

Une semaine s'était écoulée depuis l'affaire de la *Casa del Sol* et du bombardement du palais gouvernemental. Bob Morane et Bill Ballantine étaient demeurés à Lima dans l'attente de nouveaux événements. Pourtant, rien n'était survenu. Malgré tous les efforts de la police et de la sûreté, l'enquête piétinait. Pour comble de malheur, plusieurs fusées chargées d'explosifs et de phosphore étaient venues semer, davantage encore, la désolation dans la capitale. A plusieurs reprises, des délégations populaires étaient venues demander qu'on prenne de nouvelles mesures pour mettre fin à la situation. Un journal avait même, à mots couverts, parlé de démission.

Bientôt sans doute, l'adulation que le peuple péruvien avait jusqu'alors portée à Ambrosio Cerdona se changerait en ressentiment. Des émeutes auraient lieu et, comme le président refuserait d'avoir recours à la force pour calmer la population, tout ce qui lui resterait à faire serait de renoncer au pouvoir.

Selon toute apparence, la situation était critique. Ou bien, dans les heures à venir, le gouvernement réussirait à mettre fin aux agissements de ses adversaires, ou il devrait leur abandonner le pouvoir. Un second ultimatum était d'ailleurs parvenu au président Cerdona, lui enjoignant d'abandonner ses fonctions et de s'incliner devant ceux qui, après lui, allaient prendre en main les destinées de la nation péruvienne, destinées qui, sans doute, n'auraient rien de bien réjouissant.

— Nous demeurerons encore ici deux ou trois jours, fit Bob. Ensuite nous annoncerons à *Reflets* que nous regagnons l'Europe. Tant pis pour la mission qu'on m'a confiée. J'éprouve trop de sympathie envers le président Cerdona pour assister en spectateur à sa chute prochaine...

— Sans compter, fit Ballantine, qu'à tout moment une de ces fusées du diable peut nous tomber sur le coin du crâne. Depuis que nous nous trouvons à Lima, j'ai l'impression de vivre sous un ciel dans lequel les étoiles seraient mal attachées...

Un chasseur s'approcha de la table à laquelle Morane et Ballantine se trouvaient assis, dans le restaurant de l'hôtel, et dit à l'adresse de Bob :

— On demande le *señor* Morane au téléphone...

Bob se leva, traversa la salle à manger et se dirigea vers la cabine téléphonique située au fond du hall. Quand il se fut enfermé, il décrocha le combiné téléphonique.

— Bob Morane à l'appareil...

Il y eut quelques secondes d'attente, puis une voix fit :

— Patientez un instant, *señor*... Le président Cerdona veut vous parler...

A nouveau quelques instants d'attente. Ensuite la voix d'Ambrosio Cerdona retentit :

— Allô... commandant Morane ?

— Oui, Excellence...

— Pouvez-vous de toute urgence, votre ami

et vous, passer à mon domicile personnel ? J'ai du nouveau à vous apprendre…

— Du nouveau ? fit Bob. Dans une demi-heure nous serons chez vous, Excellence…

Bob raccrocha et sourit. Du nouveau, c'était tout ce qu'il attendait. Non parce qu'il était là en reporter, mais surtout parce que cela seul pouvait sauver Cerdona, et avec lui le Pérou, d'une faillite imminente.

— Il y a un peu plus de trois mois à présent, commença Ambrosio Cerdona, deux explorateurs américains, Collins et Wade, quittant Lima, se dirigeaient vers le nord afin d'explorer les régions enneigées de la Cordillera Blanca. Après s'être arrêté à Huaras pour y recruter des guides, ils s'enfoncèrent à travers une région encore en grande partie inexplorée, où ils espéraient découvrir des vestiges de forteresses incas, semblables à celles de Machu Picchu. Peu de temps après, un guide, de retour à Huaras, affirmait que les deux explorateurs avaient été, avec tout le reste de l'expédition, engloutis par une avalanche. Voilà une dizaine de jours cependant, des patrouilleurs de haute montagne découvraient, dans une passe glacée, le corps d'un Indien montagnard mort de froid. Sur lui, ils trouvèrent une lettre qui m'était adressée par Collins. Dans cette lettre, dont la fin était rendue en grande partie illisible à cause de l'humidité, l'explorateur disparu expliquait comment il avait seul échappé à l'avalanche, pour ensuite, errant à travers les solitudes glacées, être recueilli par des hommes blancs qui l'avaient mené à une vallée dans la montagne, pour l'y retenir prisonnier. Cette lettre m'a été aussitôt transmise et je viens de la recevoir. Mais lisez vous-même...

Cerdona tendit à Morane une feuille de papier quadrillé qu'il tenait étalée devant lui.

Bob la prit et y jeta un coup d'œil pour se rendre compte qu'elle était couverte d'une écriture hâtive. Il se mit alors à lire à haute voix le texte rédigé en anglais, au crayon aniline :

A remettre au président Ambrosio Cerdona, en mains propres.

Excellence,

Je ne sais si cette lettre vous parviendra mais je ne puis résister à la nécessité de vous l'envoyer. Mon nom est Andrew Collins et je suis l'un des deux explorateurs américains disparus il y a peu de temps dans la Cordillera Blanca. Tous mes compagnons sont morts dans une avalanche à laquelle j'ai miraculeusement échappé moi-même. Enfoui sous une légère couche de neige, j'ai réussi à me dégager. Ensuite, après plusieurs heures d'un travail acharné, j'ai pu récupérer, dans les bagages de l'expédition engloutie, un peu de vivres et de matériel qui étaient d'une nécessité vitale pour ma sauvegarde. J'ai tenté alors de regagner par mes propres moyens un quelconque endroit civilisé. Tous mes efforts furent vains. *Au bout de plusieurs jours de marche à l'aveuglette, je me rendis compte que j'étais égaré. Sans guide, sans connaissance réelle de la région, j'errai à travers des passes désolées, des déserts de neige creusés de traîtreuses crevasses. Franchissant des crêtes glacées balayées par le vent coupant des cimes, à demi mort de froid, je désespérais pouvoir me tirer de cet enfer de rochers, de neige et de glace quand, un matin, comme je cheminais le long d'un défilé encaissé, fermé en cul-de-sac par une haute muraille de glace et dans lequel je m'étais fourvoyé, un hélicoptère apparut dans le ciel. Je lui fis signe et son pilote m'aperçut. Posant l'appareil au fond du défilé, il me prit à son bord et me conduisit au-dessus de la muraille de glace. Au-delà, s'ouvrait une profonde vallée bien exposée et verdoyante, fermée de partout par de hauts sommets et au fond de laquelle un lac aux eaux bleues brillait tel un gigantesque saphir.*

Quand l'hélicoptère se fut posé au fond de la vallée, je me rendis compte que celle-ci, qui d'en haut m'avait parue déserte, était en réalité peuplée et aménagée en forteresse militaire. A l'entrée de longs tunnels creusés à flanc de montagnes, j'apercevais les formes brillantes d'avions à réaction. Plus loin, c'étaient des réservoirs à carburant adroitement camouflés, ou encore une piste d'envol recouverte d'un filet supportant une végétation factice. Un peu partout, des refuges étaient creusés dans le roc. Tout cela avec une telle perfection dans le camouflage que, du ciel, il eût été difficile, voire même impossible, à un observateur averti, de distinguer quoi que ce soit...

A partir de ce moment, le texte devenait difficilement lisible. L'humidité avait délavé l'aniline. Seuls, de temps à autre, quelques mots ou un tronçon de phrase pouvaient encore être déchiffrés.

.....en présence d'un homme........ me parla alors d'assujettissement .. Pérou .... rendre à l'esclavage ....

....

....

....

......forcé de travailler dans la vallée ...... cet esclavage m'effraie ...... confie ce message à un Indien auquel j'ai sauvé la vie .... je l'ai ..... mon secours ...... pour parvenir jusque la vallée il faut suivre la route ....

....

.... défilé des Condors ....

.... muraille de glace ....

Ensuite, il n'y avait plus que des taches d'aniline délavée formant des nuages d'un violet pâle sur le papier.

Bob avait déposé la lettre sur le bureau, devant le président Cerdona.

— Qu'en pensez-vous, commandant

Morane ? interrogea ce dernier. Et vous, *señor* Ballantine ?

Bob eut un geste vague.

— Ce que j'en pense, Excellence ? Je pourrais vous dire que nous voilà un peu plus renseignés maintenant. Nous savons que vos ennemis possèdent, sur le territoire péruvien, une forteresse d'où sont sans doute lancés les missiles ; mais ce qu'il nous faudrait savoir, c'est la situation exacte de la forteresse en question. Tout ce que nous avons comme point de repère, sont ces mots : Défilé... Condors. Avez-vous une idée de l'endroit où cela pourrait se situer, Excellence ?

Cerdona haussa les épaules en signe d'ignorance.

— Il s'agit sans doute là d'un nom local donné par les Indiens à quelque *cañon* désolé comme il en existe des dizaines de milliers dans la cordillère. C'est un peu comme si nous voulions chercher une aiguille dans une botte de foin...

— Pas tout à fait, intervint Ballantine. N'oubliez pas que nous pouvons localiser ce Défilé des Condors dans une région située quelque part dans la Cordillera Blanca. C'est par conséquent dans cette partie des Andes que doit également se trouver la Vallée du Lac Bleu. Cela limite considérablement le champ d'investigations...

— Peut-être... peut-être, convint le président. Mais cette région est encore bien vaste et

66

c'est un fouillis de montagnes toutes semblables...

— Peut-être une reconnaissance aérienne..., glissa Morane.

— Vous oubliez que, s'il faut s'en rapporter au texte de Collins, fit remarquer Cerdona, les installations de la vallée sont admirablement bien camouflées, et il est impossible d'en distinguer quoi que ce soit d'en haut.

Ambrosio Cerdona posa la main à plat sur la lettre de l'explorateur, étalée sur le bureau. Il demeura un long moment silencieux, puis reprit d'une voix chargée d'un sombre désespoir :

— A l'instant où le hasard allait nous permettre d'obtenir des éclaircissements sur toute cette affaire, voilà que la guigne frappe à nouveau. Quelques morceaux de neige fondue au bas de cette lettre et les renseignements de Collins disparaissent en nuages d'aniline délavée.

— Ne vous désespérez pas, Excellence, fit précipitamment Morane. Tout au moins, à présent, avez-vous un point de repère : ce Défilé des Condors. Tout ce qu'il vous reste à faire, c'est le situer avec précision. Vous aurez en même temps découvert cette muraille de glace derrière laquelle s'ouvre la Vallée du Lac Bleu.

— C'est facile à dire, commandant Morane, mais pour découvrir ce Défilé des Condors, il faudrait explorer la région, interroger des Indiens, et une trop forte troupe donnerait, sans coup faillir, l'éveil à nos adversaires, surtout si cette troupe était composée de soldats ou de policiers. Ce qu'il faudrait c'est une petite expédition de deux ou trois hommes qui passerait aisément inaperçue. Mais où trouver ces deux ou trois hommes sans courir le risque qu'ils se fassent acheter par l'adversaire ? Je devrais accomplir cette mission moi-même, mais je n'en ai pas la force physique. Je suis un homme de bureau, et non un coureur d'aventures...

La conversation tomba. Morane demeurait songeur, comme s'il cherchait la solution à un problème qui, il le savait, n'était pas le sien, mais celui d'Ambrosio Cerdona. Finalement, il releva la tête et se tourna vers Ballantine.

— Et pourquoi, Bill, n'irions-nous pas faire un petit tour du côté de Huaras, afin de tenter d'obtenir des renseignements sur ce Défilé des Condors et essayer de l'atteindre, ainsi que la Vallée du Lac Bleu ? Avec un peu de chance, nous pourrions peut-être en rapporter des renseignements précieux, et même une carte précise qui permettrait aux forces gouvernementales de s'emparer, sans coup férir, de la forteresse secrète.

Une intense surprise s'empara du président Cerdona, qui balbutia, ayant de la peine à trouver ses mots :

— Vous, vous... vous accepteriez réellement, commandant Morane, d'accomplir cette mission périlleuse ? A vrai dire, en vous faisant venir ici, j'en avais le secret espoir, mais je ne savais comment vous proposer la chose. En vous offrant vous-même, vous me soulagez d'un grand poids. Je sais pouvoir avoir pleine confiance en vous ; j'ai entendu parler de votre désintéressement, de votre courage. Vous n'ignorez cependant pas que l'affaire peut être dangereuse. Comme Collins, vous pouvez, votre ami et vous, être capturés ou même tués. Et je ne parle pas des pièges de la montagne...

Morane ne parut pas avoir entendu ces dernières paroles de mise en garde. Il se tourna à nouveau vers Ballantine et dit d'une voix calme :

— Après tout, Bill, *Reflets* nous a envoyés ici, au Pérou, pour voir ce qui s'y passait. Il entre dans notre mission de nous rendre dans la Vallée du Lac Bleu, puisque c'est de là sans doute que sont lancées les missiles qui ruinent la capitale et plusieurs grandes villes du pays. Si nous réussissions à découvrir la vallée en question et les rampes de lancement, ou même à détruire celles-ci, quelle belle histoire nous aurions à raconter à notre retour ! Tous les journaux du monde voudraient reproduire le récit de notre équipée... Qu'en penses-tu, Bill ?

Le géant pencha la tête de gauche à droite, en un lent mouvement de balancier.

— Ce que j'en pense, commandant ? La même chose que vous...

Et Morane savait ce que pensait son ami... Il pensait qu'une fois encore ils allaient se lancer dans une aventure où tous deux avaient beaucoup de chance de laisser quelques plumes, ou peut-être même leurs os. Comme l'avait déjà dit Bill Ballantine, Morane n'avait pas son pareil pour mettre volontairement les doigts dans les charnières des portes au moment où celles-ci se refermaient. Pourtant que représentaient quelques doigts écrasés lorsque, comme en ces jours, le bonheur d'un peuple tout entier, celui du peuple péruvien en l'occurrence, se trouvait en jeu.

Se renversant en arrière sur son siège, Bob Morane sourit, de ce sourire un peu tendu qui, chez lui, accompagnait toute décision téméraire.

— Voilà donc une chose décidée, Excellence, dit-il. Demain, Bill et moi nous nous mettrons en route pour Huaras, afin d'aller ensuite jeter un coup d'œil, si les circonstances nous le permettent, du côté du Défilé des Condors.

Une fois de plus pour Bob et Ballantine, le sort en était jeté. Ils s'apprêtaient à franchir le Rubicon et, malgré eux, ils se demandaient quels pièges s'ouvriraient sous leurs pas quand ils s'aventureraient sur l'autre rive.

CHAPITRE VIII

— Nous approchons de l'endroit où a eu lieu l'avalanche, *señores*...

Le guide indien, celui-là même qui avait échappé à la destruction de l'expédition et que Morane et Bill avaient retrouvé à Huaras, désignait une sorte de cuvette dominée par un haut sommet et au creux de laquelle la neige s'était amoncelée. C'était au fond de cette cuvette que Wade et ses compagnons avaient trouvé la mort dans les circonstances que l'on sait.

Les yeux protégés par d'épaisses lunettes aux verres fumés, Morane inspecta le paysage autour de lui. En compagnie du guide et de Ballantine, il avait quitté Huaras trois jours plus tôt. Maintenant, il se trouvait en plein cœur de la Cordillera Blanca. Partout, les hauts sommets neigeux se dressaient, faisant songer à une mâchoire hérissée de crocs gigantesques tachés par endroit par la carie noirâtre des rocs dénudés. Seuls, dans le ciel d'un bleu argenté, quelques condors tournoyaient. Les rayons du soleil paraient les glaciers de toutes les couleurs irisées du prisme. Chaque aiguille de glace se changeait en une colonne de feux vert ou rose, ou jaunâtre, donnant à l'ensemble du décor un aspect de grandiose et éblouissante féerie. Malgré le soleil, la température était froide et l'air pur et raréfié brûlait les poumons.

Morane tendit le bras en direction de la cuvette.

— Allons jeter un coup d'œil, dit-il.

Suivi de Ballantine, du guide et de dix lamas qui leurs servaient de bêtes de somme, Bob se mit à descendre lentement le long de la pente couverte de neige gelée qui craquait et se fendillait sous chacun de ses pas.

Il fallut quelques secondes à peine aux trois hommes pour atteindre le fond de la cuvette. Là, un étrange spectacle les attendait. Au cours des semaines précédentes, la neige amoncelée par l'avalanche s'était, à différentes reprises, liquéfiée pour regeler ensuite, jusqu'à se transformer en une masse de glace lisse et semi-transparente à travers laquelle on distinguait les formes sombres de corps humains et de lamas étendus en des poses diverses, tel que la mort les avait surpris.

— Les pauvres gens, murmura Ballantine. Et dire que nous ne pouvons rien pour eux. Même pas les tirer de leur prison de glace.

— Pourquoi le ferions-nous ? dit Bob. Peut-on rêver meilleure sépulture que la leur ? La glace les conserve intacts et la putréfaction leur est épargnée pour des années, voire des siècles... Mais nous n'avons plus rien à faire ici. Il nous faut tenter de découvrir au plus vite le Défilé des Condors...

A Huaras, Bob et l'Ecossais avaient tenté d'obtenir des renseignements sur la situation du défilé, mais on leur avait répondu par des paroles vagues. Le Défilé des Condors existait certes, ils en avaient acquis l'assurance ; pourtant, personne ne semblait en connaître l'emplacement exact. Cela pouvait s'expliquer par le fait que peu de gens s'aventuraient à travers les solitudes tourmentées et glacées des hauts sommets.

Bob se tourna vers le guide indien et lui reposa une question qu'il avait déjà posée dix fois au moins, sans obtenir de réponse satisfaisante :

— Es-tu décidé enfin à nous conduire jusqu'au Défilé des Condors ?

L'Indien secoua la tête.

— Lupito ne connaît pas l'endroit dont vous parlez...

Bob ne se découragea pas pour autant. Il savait comment s'adresser aux hommes et il n'ignorait pas que la flatterie pouvait souvent se révéler convaincante.

— Je suis persuadé, dit-il, que tu connais ce défilé. A Huaras, tout le monde m'a affirmé que tu étais le meilleur guide de la région et que nul mieux que toi ne connaissait la montagne...

Lupito se redressa fièrement et sourit d'un air suffisant en murmurant :

— *Quien sabe... Quien sabe...* Qui sait... Qui sait...

Jugeant avoir accompli un premier pas, Morane insista :

— Si tu nous conduis jusqu'au Défilé des Condors, dit-il, nous doublerons ton salaire...

L'Indien hésita encore.

— Le Défilé des Condors a mauvaise réputation, fit-il, et les gens n'aiment pas s'y rendre. Les grands oiseaux des cimes y sont nombreux et audacieux. Il y a aussi autre chose...

Lupito s'interrompit soudain. L'appréhension se lisait sur son visage.

— Autre chose ? interrogea Bob. De quoi veux-tu parler ?

Le guide sembla soudain se décider :

— On dit qu'il y a des mauvais Blancs... là-bas, de l'autre côté du défilé. Quand ils capturent un Indien, ils le gardent prisonnier pour le réduire à l'esclavage.

— Qui sont ces hommes blancs ? interrogea encore Morane.

L'Indien eut un geste d'ignorance.

— Lupito ne sait pas, répondit-il. Ce sont là seulement des bruits qui courent dans la région...

De toute façon, Morane se trouvait édifié à présent. Le guide connaissait le Défilé des Condors et il fallait qu'il les y conduise, Bill et lui. Le succès de leur entreprise en dépendait.

— Si tu nous conduis au défilé, dit Bob à l'adresse de l'Indien, non seulement tu recevras double salaire, mais aussi une forte prime. Si, au contraire, tu refuses de nous y mener, le président Cerdona saura que tu es un mauvais citoyen…

Lupito demeura indécis. Pas longtemps cependant, car il finit par déclarer :

— C'est très bien, *señor,* je vous mènerai jusqu'à l'entrée du Défilé des Condors, mais je n'y pénétrerai pas avec vous. Si vous voulez vous y aventurer, j'attendrai votre retour…

Morane jugea inutile d'insister. Il avait déjà obtenu de l'Indien plus qu'il n'en espérait. Lupito avait accepté de les conduire, Bill et lui, jusqu'à l'entrée du défilé, et cela seul comptait.

Désignant le soleil qui s'élevait lentement au-dessus des pics enneigés, Bob demanda encore, à l'adresse du guide :

— Pourrons-nous atteindre l'entrée du défilé avant la tombée de la nuit ?

Morane se souvenait que, dans sa lettre au président Cerdona, Collins avait affirmé avoir erré pendant plusieurs jours avant d'atteindre la muraille de glace. Mais Collins était seul, égaré. Sans doute avait-il fait de nombreux détours. Lupito rassura d'ailleurs Morane et Ballantine.

— Les deux *señores* sont de bons marcheurs, dit-il. Je les mènerai avant la nuit jusqu'à l'entrée du défilé, si toutefois le temps demeure aussi clément…

— Espérons qu'il ne changera pas, dit Ballantine. Une tempête de neige, si bénigne soit-elle, n'aurait rien pour faire mon bonheur. Malgré le soleil, je me sens aussi gelé, à l'intérieur et à l'extérieur, qu'une huître dans son tonneau de glace.

Lupito tendit le bras en direction du nord.

— Nous devons marcher de ce côté, dit-il, et partir tout de suite si nous voulons atteindre le défilé avant la fin du jour. Je connais un raccourci mais la marche y est cependant plus pénible, car il nous faudra souvent emprunter le chemin des crêtes...

Suivis par la cohorte des lamas, les trois hommes, vêtus de leurs ponchos d'épaisse laine bariolée, regagnèrent le sommet de la cuvette. Sans prononcer une seule parole, ils s'avancèrent, petites silhouettes colorées perdues dans l'immensité, le long des pentes glacées, à travers un monde mort, figé à jamais dans le silence.

Pendant tout le reste de la journée, Bob Morane et Bill Ballantine avaient cheminé sous la conduite de Lupito, longeant des crêtes glacées, franchissant des combes tapissées de neige molle, enjambant des crevasses, traversant de vastes zones pierreuses encombrées de rochers noirs et chaotiques sur lesquels ni la neige ni le froid ne semblaient avoir de prise.

Le guide allait avec assurance, sans jamais s'arrêter pour s'orienter, sans jamais se retourner non plus pour se rendre compte si les deux Européens continuaient à le suivre. D'autres, à l'altitude où ils se trouvaient, auraient sans doute, à la place de Morane et de son ami, été frappés par le terrible mal des montagnes, qui sape les énergies, provoque des vomissements et parfois même la mort. Heureusement, Bob et l'Ecossais, habitués aux hautes altitudes, avaient échappé jusqu'alors à ce mal et c'était sans trop de peine qu'ils parvenaient à suivre leur guide.

A l'ouest, le soleil venait de disparaître derrière les pics, en direction de la mer, quand Lupito s'immobilisa soudain au détour d'un sérac. Il tendit la main et désigna une large faille sombre, comme taillée d'un coup d'épée dans la masse des neiges, entre deux montagnes.

— Nous sommes arrivés, dit-il. Voilà le Défilé des Condors...

Longuement, Morane et Ballantine regardèrent autour d'eux, tentant de déceler une quelconque présence humaine. Le paysage demeurait aussi désolé qu'auparavant, et rien ne semblait indiquer la proximité de la Vallée du Lac Bleu. Seul, le déclin du soleil avait atténué les contrastes, remplaçant le complexe lumière-ombre par une uniforme grisaille.

— Gagnons l'entrée du défilé, dit Bob. Nous y établirons le campement. Demain, dès l'aube, nous tenterons de découvrir cette fameuse muraille de glace, derrière laquelle se cache la vallée...

Toujours suivis par les dix lamas de bât, qui allaient de leur démarche indolente, comme indifférents à toute chose, les Européens et l'Indien se dirigèrent, à travers les séracs, vers l'entrée du défilé. Ils atteignirent celui-ci au bout d'un nouveau quart d'heure de marche. Les lamas furent déchargés et trois petites tentes de nylon dressées à l'abri d'un rocher en surplomb. Pendant que Morane et Ballantine préparaient un frugal repas du soir, composé de galettes de maïs, de viande séchée et de café fumant, Lupito, s'étant armé d'une petite pelle, érigeait un abri de neige pour les bêtes. Après avoir englouti leur repas, les trois hommes disparurent chacun dans sa tente respective et se glissèrent dans leurs sacs de couchage. Au-dehors, la nuit était tout à fait tombée. Le ciel tendait son énorme vélum moucheté d'étoiles au-dessus des montagnes.

Longtemps le silence fut total, puis soudain un bruit monta. On eut dit qu'une mouche gigantesque s'était mise à tournoyer au-dessus du campement. Morane et Ballantine savaient pourtant qu'il ne s'agissait pas d'une mouche, mais bien d'un avion qui, sans doute, cherchait son chemin... Son chemin pour où ? Quelle était sa base ? Vers quel endroit se dirigeait-il ?

Le pilote de l'appareil dut finir par découvrir ce qu'il cherchait. Brusquement, alors que le ronronnement des moteurs en était encore à son volume maximum, il décrut, puis s'arrêta tout à coup. Ou bien l'avion s'était soudain écrasé sur un sommet, ou il venait de rejoindre sa base. Celle-ci, à en juger par le brusque silence, devait être proche. Alors Bob Morane et Bill Ballantine, avant de se replonger dans le sommeil, comprirent qu'ils touchaient au but.

Si l'avion avait atterri tout près de là, ce ne pouvait être que dans la Vallée du Lac Bleu.

Cette quasi-certitude quant à l'existence de la vallée ne procura cependant pas le moindre apaisement aux deux amis. Au contraire, ils se sentaient empoignés par une angoisse que, malgré toute leur volonté, ils ne devaient parvenir à chasser de la nuit, comme si tout à coup une redoutable menace s'était appesantie sur eux.

CHAPITRE IX

— Passé une bonne nuit, commandant ?

La lumière du soleil levant se glissait entre les montagnes en longues coulées de feu liquide. Bill Ballantine, encore à demi emmitouflé dans son sac de couchage, venait de sortir de son abri de nylon et hélait Morane. Ce dernier apparut à son tour.

— Tu oses me demander si j'ai bien dormi, Bill, fit-il d'une voix encore ensommeillée. Toute la nuit, j'ai rêvé qu'une demi-douzaine de démons vrombissants tournoyaient autour de ma tente, prêts à me massacrer si j'osais sortir la tête...

L'Ecossais éclata d'un rire sonore.

— Une demi-douzaine de démons vrombissants ?... En ce qui me concerne, il s'agissait de vautours furieux, mais l'effet était le même. Rien de tel que des cauchemars de ce genre pour vous gâcher une nuit de sommeil. Un peu de café chaud nous ferait du bien.

Lupito, déjà debout, apprêtait le repas du matin, auquel les deux amis goûtèrent avec empressement. Tout en dégustant son café bouillant, à petites gorgées rapides, Ballantine regardait avec insistance vers le fond du défilé.

— Croyez-vous, commandant, interrogea-t-il, que la Vallée du Lac Bleu se trouve là derrière ?

— C'est possible, dit Bob. Probable même... Je ne vois pas très bien où le fichu appareil de la nuit dernière aurait pu atterrir dans ce capharnaüm de montagnes gelées. Il doit y avoir une piste d'atterrissage dans les environs. A moins bien sûr que le pilote de notre appareil ne soit un peu sorcier et capable de se poser au sommet d'un pic comme une mouche sur un pain de sucre. As-tu déjà vu des pilotes sorciers, Bill ?

Le géant secoua sa tête couronnée d'un bonnet de laine et d'où dépassaient des mèches de cheveux roux.

— Si j'ai déjà vu des pilotes sorciers ? fit-il. Jamais, sauf bien entendu un certain commandant Morane de ma connaissance...

Dix minutes plus tard, équipés de pied en cap, Bob et Ballantine s'enfonçaient à l'intérieur du Défilé des Condors. Lupito s'était entêté dans sa décision de ne pas les accompagner et ils l'avaient laissé à la garde du campement.

Le défilé formait une gorge large d'une centaine de mètres et bordée de hautes murailles de pierre noire, à pic, au sommet desquelles des stalactites de glace pendaient en franges cristallines. Le fond de la gorge était tapissé par une épaisse couche de neige molle dans laquelle les deux voyageurs s'enfonçaient parfois jusqu'aux genoux. Un silence total régnait. Le défilé faisant de nombreux détours, Bob et l'Ecossais avaient chaque fois l'impression de se trouver enfermés dans une prison de roc avec, pour seule échappée, le ciel là-bas très haut, par-delà le sommet des murailles. Les deux hommes marchaient depuis dix minutes à peine quand, tout coup, un bruit s'imposa dans le silence. Une sorte de sifflement déchirant qui allait sans cesse en s'amplifiant. Bob et Ballantine échangèrent un regard. Ils venaient sans peine de reconnaître le bruit produit par un ou plusieurs avions à réaction en vol. Déjà, ils levaient la tête vers la bande de ciel se découpant entre les falaises. Presque aussitôt, trois appareils brillants apparurent. Ils volaient bas et, sous leurs ailes et leurs fuselages, on n'apercevait aucune marque distinctive.

— A terre ! hurla Morane, sans parvenir à dominer le bruit des réacteurs.

Cependant Ballantine avait compris et s'était jeté sur le sol en même temps que son ami. La face dans la neige molle, tous deux tentaient de se faire aussi petit que possible pour ne pas être aperçus des pilotes des avions. S'ils en avaient eu le loisir, ils se seraient creusé chacun un trou pour s'y terrer... Mais les appareils étaient passés déjà, et le bruit de leurs réacteurs décroissait. Quand il se fut tout à fait éteint, Morane se redressa, imité une fois encore en cela par l'Ecossais. Celui-ci secoua la neige collée à ses vêtements.

— Croyez-vous qu'ils nous aient aperçus? interrogea-t-il?

Bob haussa les épaules et répondit :

— S'ils regardaient sous eux, c'est fort possible. Avec nos ponchos bariolés nous devions faire tache sur la neige. Par bonheur, nous demeurions dans l'ombre des murailles. Et puis il est probable que les pilotes ne regardaient pas précisément au fond de ce défilé...

Durant un moment Bob prêta l'oreille afin de se rendre compte si les trois appareils ne revenaient pas. Ensuite, comme rien ne l'indiquait, il désigna le fond de la gorge.

— Continuons notre route, dit-il, tout en marchant le plus près possible de la muraille, afin de pouvoir nous dissimuler à la moindre alerte.

Bill Ballantine fit la grimace.

— Il semble que nos affaires se compliquent. C'en est fini à présent de la belle quiétude des jours derniers...

— Nous ne pouvons en douter, reconnut Bob. Seulement une chose doit nous consoler : la présence de ces trois appareils anonymes, ajoutés à celui qui ronronnait la nuit dernière, prouve que nous sommes sur la bonne voie. J'ai hâte d'atteindre la muraille de glace et de la franchir... Si cela nous est possible...

En dépit de leurs craintes, Morane et Ballantine atteignirent la muraille de glace sans que les trois appareils à réaction aient reparu dans le ciel étroit du défilé. Ce dernier, après un dernier détour, s'était brusquement inter- rompu, barré sur toute sa largeur et sa hauteur par une muraille presque lisse et d'une blan- cheur parfaite, faite de glace dure qu'irisaient les rayons obliques du soleil.

— Pour pouvoir escalader cette muraille, fit Ballantine, il faudrait être une mouche. Les mouches seules sont capables de grimper le long des vitres. Je ne suis pas précisément froussard, commandant, mais si quelqu'un de nous deux doit demeurer ici, tandis que l'autre tente l'escalade, je préfère être celui-là...

Morane parut ignorer la remarque de son compagnon. Certes ce dernier, à cause de sa masse et de son poids, n'était pas fait pour des prouesses d'alpinistes. Cependant, Bob n'igno- rait pas que, s'il le fallait, Ballantine n'hésiterait pas à grimper le long de la muraille de glace qui élevait sur une centaine de mètres de hauteur sa surface lisse et transparente, presque dépour- vue de toute aspérité.

— Nous allons retourner au campement, dit Bob, et revenir avec deux lamas chargés de crampons d'escalade et de cordes, ainsi que d'une petite tente, de quelques vivres et de munitions. Notre excursion pourrait se prolon- ger plus qu'il n'est prévu. Le premier, puisque je suis le plus léger, je tenterai d'atteindre, à l'aide de crampons, le sommet de la muraille. Une fois là, je laisserai descendre une fine cordelette à laquelle tu fixeras le bout d'une corde plus épaisse que je tirerai à moi. A l'aide de la corde, je hisserai alors nos bagages et toi-même tu pourras suivre en grimpant en rappel.

— Tenter d'atteindre le sommet de la muraille ?... Facile à dire... Je sais que, quand vous voulez vraiment vous y mettre, vous n'avez pas grand-chose à envier à un acrobate de cirque, mais les crampons risquent de ne pas tenir dans la glace. Si celle-ci s'effrite alors que vous vous trouvez à mi-hauteur ou même plus bas, ce sera la chute et la fin du fringant commandant Morane...

— Ta remarque est juste, Bill, répondit Bob. Aussi, ne tenterai-je pas l'escalade de la muraille de glace elle-même. Celle-ci forme des angles droits avec les parois du défilé qui, elles, sont faites de roche dure. Ce sera le long d'une paroi rocheuse que je tenterai l'escalade, en me tenant tout près de la muraille de glace. De cette façon, je ne courrai pas le risque que les crampons lâchent, puisqu'ils seront enfoncés dans le rocher.

Ballantine se mit à rire et dit :

— Pas bête... Bien sûr, vous avez trouvé la solution... Très simple, mais il fallait encore y penser... Et quand comptez-vous aller voir ce qui se passe là-haut ?

— Dès que nous aurons l'équipement néces-saire. La journée n'en est qu'à son début. Nous avons tout le temps d'aller jeter un coup d'œil là-haut et d'en revenir avec des renseignements précieux...

A ce moment, le bruit déchirant des avions à

réaction se fit entendre à nouveau. Les deux voyageurs se jetèrent à plat ventre dans la neige. Le bruit des réacteurs allait sans cesse en s'amplifiant, pour atteindre bientôt un volume tel qu'il témoignait de la proximité des appareils. Pourtant ceux-ci ne devaient pas passer juste au-dessus du défilé. Leurs silhouettes ne se profilèrent pas cette fois sur l'étroite bande de ciel. Bientôt, le son décrut puis s'arrêta net, comme si les réacteurs avaient été soudain coupés.

Morane se releva.

— Ces avions ont atterri non loin d'ici, fit-il remarquer. Selon toute probabilité, quelque part derrière cette muraille de glace, comme l'appareil anonyme de la nuit dernière. Il se passe donc réellement des choses étranges de ce côté, et j'ai hâte d'aller me rendre compte sur place...

Sans attendre davantage, Bob et son compagnon reprirent le chemin du campement.

Une heure plus tard, suivis de deux lamas portant l'équipement nécessaire, ils se retrouvèrent au pied de la muraille de glace. Les bêtes furent déchargées dans l'angle gauche du défilé, là où la paroi gelée et le rocher se rejoignaient. Morane se dépouilla de son poncho et se prépara à l'escalade, avec, pour tout bagage, un sac léger accroché à ses épaules. Dans un second sac, fixé à sa hanche gauche, il avait glissé son matériel de grimpeur. A son poignet droit, un marteau à manche de métal était fixé par une solide lanière de cuir.

86

En s'aidant du marteau, Bob ficha un premier crampon dans le roc et y accrocha l'un des deux mousquetons d'acier reliés par des sangles à la ceinture d'alpiniste bouclée autour de sa taille. En s'aidant des pieds, il s'éleva d'une cinquantaine de centimètres le long de la muraille et s'y arc-bouta, le corps tendu en arrière. Un mètre plus haut, il enfonça un second crampon pour s'élever à sa hauteur de la même façon. Il accrocha alors le second mousqueton, détacha le premier et récupéra le crampon inférieur qu'il planta à son tour plus haut sur la muraille. De cette manière, il s'éleva lentement, mètre par mètre, le long de la paroi rocheuse. En tendant le bras droit, il pouvait toucher de la main la surface lisse et froide de la muraille de glace. Parfois, ses pieds glissaient sur le roc et il se trouvait suspendu dans le vide par la ceinture. Vite cependant, il s'assurait un nouveau point d'appui et reprenait sa lente et patiente escalade.

Il lui fallut près d'une heure pour atteindre le sommet de la falaise et se hisser au faîte de la muraille de glace elle-même. Là, une déception l'attendait. La muraille de glace n'était pas à proprement parler une muraille, mais la tranche d'un formidable glacier dont la partie supérieure se trouvait encombrée d'un chaos de séracs faisant songer à une multitude de pèlerins en cagoules blanches et gelés debout. Alors que Bob avait espéré, à l'issue de son escalade, pouvoir plonger directement ses regards dans la

Vallée du Lac Bleu, il n'avait devant lui que cette forêt de sérac qui lui bouchait la vue.

Pendant un moment, Morane eu la tentation de se glisser entre les aiguilles de glace pour voir ce qu'il y avait au-delà. Mais il calma cependant son impatience. Tirant une pelote de fine cordelette de son sac, il fixa une pierre à son extrémité et la laissa filer vers le bas. Quand la pierre toucha le fond du défilé, Ballantine s'empara de la cordelette et y attacha solidement une corde plus épaisse, à la solidité éprouvée. Bob tira sur la cordelette jusqu'à ce que l'extrémité de la corde fut parvenue jusqu'à lui. Une demi-heure plus tard, les bagages légers avaient été hissés au sommet du glacier et Ballantine était venu rejoindre son ami.

Dressés dans le vent coupant des hautes altitudes, le souffle un peu court et les tempes battantes, Morane et Ballantine, frissonnant malgré leurs épais ponchos, regardèrent longuement autour d'eux. Partout, dans l'immensité blanche et noire des neiges et des rocs, régnaient la solitude et le silence. Seuls, très haut dans le ciel, quelques condors planaient lentement.

Le premier, Morane réagit à la langueur contemplative qui les avait saisis tous deux.

— Le spectacle vaut le coup d'œil, dit-il. Mais nous ne sommes pas ici en simples touristes. Puisqu'il nous faut découvrir la Vallée du Lac Bleu, mettons-nous à sa recherche. N'oublions pas qu'à Lima, le président Cerdona doit attendre avec impatience notre retour et aussi des renseignements…

Chargeant sur leurs épaules leurs maigres bagages, Morane et Ballantine se mirent en marche, à la suite l'un de l'autre, sur la surface dure du glacier.

CHAPITRE X

— Voulez-vous que je vous dises, commandant ?...

— Dis toujours, Bill...

— Eh bien, je commence à en avoir assez de
cette balade pour ours polaires. A côté de ce
maudit coin l'Ecosse me paraît jouir d'un climat
tropical, sans compter que, côté air, nous
sommes plutôt rationnés. A chaque aspiration
c'est tout juste si je trouve de quoi me remplir la
moitié d'un poumon.

Morane eut un rire grinçant.

— A-t-on idée aussi, fit-il, d'avoir des poumons d'une telle capacité ! Quand tu es dans
une pièce fermée et que tu respires un peu trop
fort, c'est à peine si les autres occupants de la
pièce trouvent encore assez d'air pour ne pas
mourir d'asphyxie.

La bonne humeur de Morane était cependant
fabriquée de toutes pièces et sonnait faux. Cela
faisait plus d'une heure que les deux hommes
cheminaient à travers le labyrinthe des séracs.
Le froid se faisait glacial, et ils commençaient à

sentir la fatigue. En outre, ils ressentaient les premières atteintes du mal des montagnes, auquel ils avaient échappé jusqu'alors.

— Nous finirons bien par arriver au bout de ce maudit glacier, continua Bob. Alors sans doute découvrirons-nous enfin la Vallée du Lac Bleu.

Un ricanement échappa à Ballantine.

— La Vallée du Lac Bleu... Bien sûr... Pourquoi, tant que vous y êtes, ne pas me parler du Paradis Terrestre ?... Je commence à me demander si elle existe réellement cette vallée. Elle me paraît faire partie d'un conte à dormir debout...

Serrant les dents, Morane dit avec force :

— Je suis certain qu'elle existe, Bill, sinon pourquoi les réacteurs de ces avions se seraient-ils arrêtés aussi subitement ? Ils ont dû atterrir quelque part dans les parages...

— Et s'ils avaient eu une panne et fait le grand plongeon ?

— Tous trois en même temps ?... Cela m'étonnerait. On peut mettre beaucoup de choses sur le compte du hasard, mais quand même... Non, non, Bill, je suis certain que nous sommes sur la bonne voie...

Ces dernières paroles furent ponctuées par une brusque rafale de vent glacé, cinglante comme mille fouets.

— Eh ! Que se passe-t-il ? fit Ballantine.

Il y eut une seconde rafale, puis la neige se mit à tomber.

— La tempête, fit Bob. Il nous manquait encore ça...

Resserrant plus étroitement autour d'eux les plis de leurs ponchos, les deux hommes continuèrent à avancer. Bientôt ils durent s'arrêter. Le vent avait redoublé de violence et chaque flocon de neige, en frappant leurs visages, donnait la sensation d'un point de feu.

— Montons la tente tant que nous en avons le loisir, dit Bob en essayant de dominer de la voix le bruit de la tourmente s'engouffrant dans le labyrinthe des séracs.

Une petite tente de nylon à armature d'acier fut dressée en hâte à l'abri du vent, et Bob et Ballantine s'y glissèrent pour s'enfouir aussitôt dans leurs sacs de couchage. Il semblait que la tempête n'avait attendu que cela pour se déchaîner dans toute sa puissance. Par bonheur la tente, solidement attachée et parfaitement étanche au vent, devait résister à tous les assauts. On eût dit que des milliers de loups en fureur, clamant à pleine gorge leur haine à la nature tout entière, galopaient autour du fragile abri. Pourtant, Bob et son compagnon se riaient de cette colère, mais un autre ennemi devait cependant fondre sur eux : le mal des altitudes, dont tout à l'heure ils avaient ressenti déjà les premières atteintes. Ils s'empressèrent d'avaler quelques cachets de dramamine et, en attendant que la tempête s'apaise, ils cherchèrent refuge dans une torpeur inquiète.

*
**

La tempête devait faire rage toute la journée et la nuit suivante. A l'aube, elle se calma brusquement, tout comme elle était née, et un calme total succéda aux hurlements du vent.

Le premier, Morane s'arracha de la somnolence dans laquelle son compagnon et lui se trouvaient plongés depuis des heures.

— Eh ! Bill... Nous allons pouvoir nous remettre en route...

Ballantine se retourna bruyamment à l'intérieur de son sac de couchage, ouvrit à demi les yeux et dit d'une voix lasse :

— Nous remettre en route... Impossible, commandant... je suis aussi fourbu que si je venais de me battre pendant toute la journée d'hier et toute la nuit contre une demi-douzaine de moulins à vent...

— C'est le mal des montagnes, expliqua Bob. Encore un ou deux cachets avant de nous remettre en route et tu seras à nouveau frais et dispos, ou presque...

Un grognement échappa au géant.

— Frais et dispos !... Vous voulez rire... Il faudrait autre chose que ces fichus cachets pour me remettre en train. Pour tout vous dire, rien ne serait capable de me remettre en train...

Tournant le dos à son ami, l'Ecossais s'enfouit à nouveau à l'intérieur de son sac de couchage. Morane s'était dressé sur son séant. Il fouilla dans son sac et en tira une petite bouteille plate, en aluminium. Il en dévissa le bouchon-gobelet, qu'il remplit d'un liquide brunâtre contenu dans le flacon. Portant alors le gobelet à ses lèvres, il but par petites gorgées bruyantes, faisant claquer ostensiblement sa langue entre chacune d'elles. Ballantine sursauta et fit face à nouveau à son ami. Les yeux ouverts tout grand maintenant, il interrogea :

— C' que vous buvez là ?

Bob avala une nouvelle gorgée, claqua de la langue et répondit simplement :

— Whisky...

Bill Ballantine se dressa soudain, comme si quelqu'un de mal intentionné venait de lui enfoncer une longue aiguille rougie à blanc dans le corps.

— Vous avez dit whisky, commandant ?... Vous avez bien dit whisky ?

Morane fit lentement face à son interlocuteur.

— Bien sûr, Bill, j'ai dit whisky... Qu'y a-t-il de drôle à cela ?

— Ce qu'il y a de drôle à cela ?... Mais... vous ne vous rendez pas compte... Vous aviez un flacon de whisky dans votre sac et je n'en savais rien... C'est très mal, commandant... C'est très mal...

— J'ai emporté cette toute petite flasque en prévision d'un coup dur seulement, expliqua Morane. D'ailleurs, elle était rangée dans la trousse à pharmacie. Je ne sais si tu en as déjà entendu parler, mais le whisky peut parfois servir de médicament...

— J'en ai entendu parler... Pour tout vous dire, j'ai pour le moment un besoin réel de

94

médicament... Si vous aviez la bonté de me passer le flacon...

Morane n'obéissait pas assez vite. Bill lui arracha la flasque des mains et, s'en appliquant le goulot aux lèvres, but une longue rasade.

— Pas à dire, c'est fameux comme médicament, fit-il quand il eut avalé la première gorgée. Ça vous retape un homme en moins d' deux... Et dire qu'il y a des gars qui passent leur temps à inventer des trucs compliqués qu'ils planquent dans des tubes sous forme de cachets, en leur donnant des noms bizarres que même un Chinois ne parviendrait à déchiffrer sans une fameuse dose de bonne volonté, alors qu'il y a ce bon vieux whisky de notre bonne vieille Ecosse... Ah ! ce bon vieux whisky...

Ballantine but une nouvelle gorgée.

— Fameux ! répéta-t-il... Fameux comme médecine... Pas à dire...

Morane reprit la flasque avant que son compagnon ne l'eût vidée.

— C'est assez pour le moment, Bill. Il ne faut pas abuser des médicaments, et puis tu m'as l'air complètement ragaillardi à présent...

Sans attendre la remarque de Bob, Ballantine s'était glissé hors de son sac de couchage.

— Ragaillardi ! Et comment !... Il ne sera dit qu'un Ecossais continuera à garder du vague à l'âme alors qu'il vient de boire un peu de ce bon vieux whisky ancestral. Ce serait marquer la plus noire des ingratitudes...

Pour sortir de la tente, les deux hommes durent creuser un passage dans la neige qui s'était amoncelée autour de leur abri. Quand cette neige fut tout à fait déblayée, ils démontèrent la tente et bouclèrent leurs sacs.

— Que faisons-nous à présent? demanda Ballantine. On continue à rechercher cette vallée fantôme ou, au contraire, on rejoint notre guide? En ne nous voyant pas revenir, Lupito finira par s'impatienter et par regagner Huaras en nous laissant en carafe entre nos montagnes...

— Je ne pense pas que Lupito nous abandonne, fit Morane. Il n'a reçu encore qu'une partie de son salaire. Or je lui ai promis que, s'il nous menait jusqu'au Défilé des Condors, je doublais ce salaire et lui donnais en outre une bonne prime. Cela fait que Lupito a encore pas mal d'argent à toucher, et il n'ignore pas que, s'il nous abandonne, cet argent lui passera sous le nez.

L'Ecossais hocha la tête gravement.

— Sans doute avez-vous raison, commandant... Sans doute avez-vous raison... Donc si je comprends bien, vous décidez de continuer à rechercher la Vallée du Lac Bleu...

— Je ne décide rien, Bill. Ma décision est prise depuis longtemps. Que diable, tu me connais!... Suis-je un homme à abandonner ainsi ses projets?... Si cette Vallée du Lac Bleu existe quelque part, nous finirons bien par la découvrir.

Bill n'insista pas. Il connaissait l'entêtement de son ami. Pataugeant dans la neige molle, les deux hommes reprirent leur route dans la direction suivie la veille.

Ils ne leur fallut pas marcher longtemps. Au bout de vingt minutes à peine, le champ de séracs prit fin pour faire place à une vaste étendue neigeuse descendant en pente assez raide. Plus bas, le roc brunâtre apparaissait. Plus bas encore, le vert des végétations andines qui entouraient, d'un anneau presque parfait, une sorte de vaste cratère ovale, au fond duquel brillait un lac aux eaux bleues.

CHAPITRE XI

Bob Morane et Bill Ballantine étaient maintenant allongés sur le ventre, à l'abri des derniers séracs. Morane avait tiré de petites mais puissantes jumelles de son sac et inspectait les rives du Lac Bleu, et aussi les flancs couverts de végétation de la vallée elle-même. En dépit de tous ses efforts, il ne parvenait cependant pas à découvrir ce qu'il cherchait : cette piste d'envol et ces refuges camouflés, dont avait parlé Collins dans sa lettre au président Cerdona. Pas davantage d'ailleurs, il ne discernait rien qui ressemblât à des rampes de lancement pour missiles.

— Vous apercevez quelque chose, commandant ? interrogea Ballantine.

— Rien que de la verdure et des rochers, répondit Morane. Les installations décrites par Collins sont sans doute trop éloignées et réellement bien camouflées... Si tu veux jeter un coup d'œil toi-même, peut-être auras-tu plus de chance...

Morane passa les jumelles à son compagnon qui, à son tour, les braqua en direction du lac.

Pendant un moment, Bill demeura silencieux puis une attention accrue marqua son visage et, au bout de quelques secondes, il dit :

— Je me trompe peut-être, mais il me semble apercevoir plusieurs hommes. Là-bas, à droite près de la rive... Vous voulez jeter un regard ?

Bob s'empara des jumelles et les braqua vers l'endroit indiqué par l'Ecossais. Après quelques secondes d'attention, il n'eut plus à douter. Deux petites formes sombres se mouvaient près de la berge, tournant le dos à celle-ci, pour remonter le long du flanc le plus éloigné de la vallée en empruntant ce qui parut être à Morane un sentier à demi dissimulé par la végétation.

— Pas le moindre doute, Bill. Ce sont bien là des hommes. Donc le coin est habité...

Une fébrilité soudaine s'était emparée de Bob.

— Nous devons nous approcher plus près afin de mieux nous rendre compte, dit-il encore. Nous savons à présent qu'il y a des hommes dans cette vallée. Mais ce que nous devrions connaître avec précision, c'est l'endroit d'où décollent les avions qui nous ont survolés hier et, surtout, l'emplacement exact des rampes de lancement.

Morane demeura songeur. Ensuite, il sembla prendre soudain une décision.

— Tu vas retourner auprès de Lupito, Bill,

afin de compléter la carte que nous avons dressée depuis notre départ d'Huaras. Pendant ce temps, je descendrai explorer la vallée, en prenant bien entendu toutes les précautions afin de ne pas me faire repérer. Si demain, à l'aube, je ne suis pas reparu c'est que j'aurai été fait prisonnier, ou que je serai mort. Dans ce cas, tu regagneras Huaras et Lima, pour rendre compte au président Cerdona de nos découvertes. Il connaîtra alors de façon précise l'emplacement de la Vallée du Lac Bleu, d'où partent sans doute les missiles, et il pourra l'attaquer immédiatement par la voie des airs. Il lui suffira sans doute de quelques avions et d'un détachement de parachutistes pour s'en rendre maître. Si, à ce moment, je suis encore en vie, on me délivrera et tout sera pour le mieux.

Ballantine parut hésiter.

— Je ne tiens pas à vous laisser aller seul explorer cette vallée... Vous ne savez pas quels dangers peuvent vous y attendre et deux hommes se tirent toujours d'affaire plus facilement qu'un seul... L'union fait la force, ne l'oubliez pas...

— Je sais, Bill, et c'est à regret que je vais me séparer de toi. Cependant, nous n'avons guère le choix. Si nous allions explorer ensemble la vallée, nous risquerions d'être tués ou faits prisonniers ensemble également et Cerdona ne serait pas plus renseigné qu'auparavant. Or, il faut que les rampes de lancement soient détruites au plus vite afin d'empêcher de nouvelles destructions et de nouvelles victimes.

100

Ces raisons durent paraître péremptoires à Ballantine, car il cessa de discuter.

— Je vais donc rejoindre le campement, dit-il, et vous y attendre en compagnie de Lupito...

Le géant s'interrompit. Il montrait un front soucieux.

— Surtout, commandant, dit-il encore, soyez prudent... Nous sommes venus ici pour reconnaître les lieux et non pour jouer aux petits soldats.

Morane envoya une grande claque affectueuse à son ami.

— Sois sans crainte, Bill. Je me contenterai de remplir mon rôle d'observateur, tout simplement...

Ils se serrèrent la main et Ballantine s'éloigna dans la direction d'où ils étaient venus tout à l'heure. Quand il eut disparu entre les séracs, Morane se redressa à son tour et se mit à descendre lentement le long de la pente glacée.

La Vallée du Lac Bleu, dont le fond se trouvait situé au-dessous de la limite des neiges éternelles, formait une sorte de cuvette encaissée. Les rayons du soleil, réfractés par les glaces des sommets, y entretenaient une chaleur tempérée, en faisant ainsi une sorte d'oasis de verdure au sein d'un univers gelé.

Bob Morane descendait à présent le long d'une déclivité s'inclinant suivant un angle de plus de 45°. Il progressait avec de multiples précautions, non seulement pour éviter de glisser sur la neige dure, mais surtout parce que, avec son poncho bariolé, il devait se détacher nettement sur l'étendue blanche. Un observateur quelconque pouvait, à tout instant, à l'aide de jumelles, l'apercevoir d'en bas.

Au bout d'une heure de cette descente laborieuse, Bob atteignit finalement la limite des rochers. Là, le froid se faisant déjà moins vif, il put se débarrasser du poncho, qu'il plia au fond de son sac. Avec ses vêtements kaki, il devait se confondre presque totalement maintenant avec les rocs brunâtres. Cela ne l'empêchait cependant pas d'avancer avec les mêmes précautions que tout à l'heure. Le sol qu'il foulait à présent était fait de pierrailles mal en équilibre qui, à tout instant, pouvaient se détacher sous ses pas et rouler en avalanche vers le fond de la vallée. Le bruit attirerait alors immanquablement l'attention des hommes qui l'habitaient.

Il fallut cette fois près de deux heures à Morane pour franchir le champ de rochers. Par moments, il s'arrêtait à l'abri d'un énorme bloc et se reposait durant quelques minutes ; ensuite, il repartait avec, sans cesse, la crainte lancinante de provoquer une chute de pierrailles. Ce fut encore cependant sans le moindre incident digne d'être noté qu'il atteignit la zone de végétation. Celle-ci, composée tout d'abord de *fraylejones* géants, ou séneçons, se transforma vite. Aux *fraylejones* se mêlèrent les cactus et les fougères arborescentes. Sur des arbustes hauts de trois mètres poussaient des myrtilles, grosses comme les plus grosses cerises, que Bob grapillait au passage.

Dissimulé par les plantes, il pouvait progresser désormais sans crainte de se faire repérer. Il marchait sur un sol tapissé de mousse, sous laquelle affleurait toujours la pierre. Parfois, d'énormes blocs de rochers monolithiques apparaissaient, s'élevant bien au-dessus des plus hautes fougères.

Quand Bob se crut parvenu à bonne distance du fond de la vallée, il grimpa au sommet d'un de ces rochers, d'où il pouvait embrasser l'étendue du lac situé maintenant à cinq cents mètres environ en contrebas. Ce lac paraissait toujours aussi bleu, sans qu'une seule vaguelette ne ride sa surface parfaitement lisse. Il faisait songer à une énorme pierre précieuse soigneusement et patiemment polie. Ses rives montaient en pente douce, jusqu'à des falaises tapissées de plantes grimpantes. Par endroits, de minces filets d'eau, issus des hauts glaciers, coulaient en cascades et en torrents brillants le long de ces falaises.

A l'œil nu, Bob ne pouvait encore rien discerner d'insolite. La vallée lui paraissait toujours déserte. Si, tout à l'heure, d'en haut, il n'avait aperçu des hommes, il aurait continué à la croire inhabitée. Tirant ses jumelles, il les braqua vers les rives du lac. Alors seulement il remarqua des constructions de pierres sèches, parfaitement dissimulées par la végétation. Une longue étendue plane, longeant le lac sur presque toute sa longueur, lui parut être une piste de décollage soigneusement camouflée, probablement par un filet tissé de plantes factices. Pour se servir de cette piste, il suffisait sans doute de tirer le filet de côté à l'aide de treuils pour, ensuite, les avions ayant décollé, le remettre en place de la même façon.

« La lettre de Collins disait vrai, pensa Morane. Cette vallée est parfaitement équipée. Il ne me reste plus qu'à faire la connaissance de ses habitants... »

Il ne dut pas attendre longtemps. D'une des constructions de pierre, trois hommes firent irruption. Malgré l'éloignement, Morane put se rendre compte qu'ils portaient des vêtements de coupe militaire et des casquettes plates. Comme les deux hommes aperçus précédemment, ils se mirent à remonter le long du flanc de la vallée en empruntant un petit sentier à demi dissimulé par la végétation. Comme ils atteignaient le pied de la falaise, une partie des plantes qui tapissaient celle-ci s'écarta, découvrant une large brèche dans laquelle les hommes disparurent. Le rideau de plantes retomba aussitôt derrière eux, mais Morane avait cependant eu le temps d'apercevoir la forme brillante d'un avion à réaction.

« Décidément, cette vallée est truquée comme un décor d'opéra. J'aimerais réellement y jeter un coup d'œil de plus près... »

Un bref sifflement retentit à cet instant précis. A une cinquantaine de centimètres à peine de la tête de Morane, le roc vola en éclats minuscules. Presque en même temps, Bob entendit la détonation. D'un sursaut, il s'était rejeté en arrière, à l'abri d'une aspérité de rocher.

— On me tire dessus, murmura-t-il. Je me demande comment ils ont fait, là en bas, pour me repérer. Avec mes vêtements kaki, je dois me confondre avec le rocher...

Levant les yeux, il vérifia la position du soleil et supposa qu'un rayon, frappant le double objectif de ses jumelles, avait révélé sa présence à un guetteur. Plusieurs autres coups de feu éclatèrent et de nouvelles balles frappèrent le rocher, faisant voler chaque fois de petits nuages de pierre pulvérisée. Un peu partout, dans la vallée, des cris d'alarme fusaient.

— Hé, hé ! Il me semble que la situation se corse, soliloqua Morane. Je me suis laissé repérer comme un enfant. Avant longtemps, je vais avoir toute la troupe collée à mes talons. Il va me falloir trouver un moyen quelconque pour lui échapper.

Un moyen ? Bob ne voyait pas très bien lequel, si ce n'était descendre de son perchoir et se mettre à remonter le flanc de la vallée, jusqu'au champ de séracs. Mais ses adversaires le poursuivraient jusque-là. Plus nombreux, ils finiraient par le rejoindre et se rendre maîtres de lui. D'ailleurs, fuir en direction du Défilé des Condors aurait été mettre Bill en danger, lui faire courir également le risque d'être capturé. Dans ce cas, si Morane et l'Ecossais se trouvaient en même temps au pouvoir des habitants de la vallée, il n'y aurait personne pour avertir Cerdona. Au contraire, si Bob seul était fait prisonnier, Ballantine pourrait toujours regagner Lima avec les précieux renseignements qu'ils étaient parvenus à réunir.

Déjà la décision de Morane était prise : il demeurerait dans la vallée et tenterait le plus longtemps possible d'échapper à ses poursuivants. Pendant ce temps, Bill aurait atteint l'entrée du Défilé des Condors et serait, momentanément du moins, hors de danger. Un peu plus tard, comprenant que son compagnon avait été capturé, il rentrerait à Lima, avertirait le président Cerdona et reviendrait en compagnie des forces gouvernementales.

Lentement, Bob se laissa glisser au bas du rocher. Pendant un moment, il s'immobilisa, l'oreille aux aguets. Un peu partout des appels montaient, des voix se répondaient l'une à l'autre. Bob crut même percevoir des bruits de course effrénée.

— Allons, les chasseurs s'apprêtent à forcer le gibier. Ce qu'ils ne savent pas, c'est que celui-ci est capable de se défendre…

A pas silencieux, il se mit alors à courir vers l'extrémité nord de la vallée afin de s'éloigner au plus vite du rocher sur lequel il était juché quelques instants auparavant. Il supposait que ses poursuivants convergeraient tous vers ce rocher et qu'en s'en écartant, il sèmerait immanquablement le désarroi dans leurs rangs.

106

Ensuite, bien sûr, ils se ressaisiraient. Il serait temps alors d'user de nouvelles ruses. De toute façon, Morane possédait plus d'un tour dans son sac.

CHAPITRE XII

Un peu haletant, Bob s'immobilisa et prêta l'oreille. Les bruits de pas retentissaient plus proches et il discernait maintenant des bribes de phrases échangées en espagnol, mais sans pour cela parvenir à en rétablir le sens.

Pas d'erreur, ses poursuivants avaient retrouvé sa trace. Bientôt ce serait fini de rire. Heureusement, il avait songé à s'armer avant de pénétrer dans le Défilé des Condors.

Il tira son revolver de l'étui pendant à sa ceinture et s'assura que les alvéoles du barillet étaient bien garnies. Il replaça l'arme à sa ceinture et reprit sa marche à travers la végétation clairsemée. Le sol qu'il foulait était fortement incliné et tapissé d'une mousse glissante qui rendait la marche difficile. Tous les trois ou quatre pas, Bob devait se raccrocher à une branche pour éviter de rouler sur la déclivité. Ses poursuivants, eux, devaient être habitués à avancer sur ce terrain. A en juger par le bruit de leur marche, et aussi par les éclats de voix, ils se rapprochaient sans cesse.

Bob avait compris ne pouvoir continuer à fuir ainsi. Tôt ou tard, il serait rejoint. Cependant, il se refusait d'abandonner, de s'avouer vaincu sans même avoir entamé la lutte. En outre, chaque minute qu'il gagnait permettait à Bill de s'éloigner.Son seul espoir était en effet que Ballantine parvienne à regagner Lima pour en revenir avec des renforts.

Morane continuait à fuir ainsi à flanc de vallée quand, tout à coup, il s'immobilisa à nouveau. Jusqu'alors, les bruits de pas et les éclats de voix n'avaient retenti que derrière lui ; à présent il en percevait d'autres, en avant. Se rendant compte ainsi qu'il se trouvait pris entre deux feux, il hésita sur le parti à prendre. Remonter le flanc de la vallée pour tenter de quitter celle-ci ? Descendre au contraire vers le lac et s'enfoncer davantage dans le piège prêt à se refermer sur lui ? Son premier mouvement fut de fuir vers les hauteurs mais, une fois encore, il songea à Bill. A tout prix, il lui fallait en tenir ses ennemis éloignés. Pour cette raison, il choisit de descendre vers le lac.

Faisant un brusque crochet, Bob s'avança donc le long de la pente. La végétation, relativement clairsemée, devait néanmoins le dissimuler aux yeux de ses poursuivants et ceux-ci, sans doute, s'entêtaient à effectuer leur mouvement de tenaille en marchant parallèlement aux rives du lac.

Déjà le fuyard devait avoir pris une solide avance quand, au-dessus de lui, des exclamations, des cris de colère lui apprirent que la tenaille s'était refermée et que les groupes ennemis venaient de se rejoindre sans découvrir celui qu'ils poursuivaient. Bob n'ignorait pas cependant que ce n'était là que partie remise. Tôt ou tard, ses poursuivants retrouveraient sa trace et descendraient, eux aussi, en direction du lac pour y acculer leur gibier.

— Continuons le petit jeu de la fuite, murmura Morane. Jusqu'ici il ne m'a pas mal réussi et s'est révélé sans grand danger. Bien sûr, quand ces mangeurs de petits enfants m'auront rejoint, il en sera tout autrement. Mais qui vivra verra...

Il reprit sa descente, faisant de nombreux crochets entre les séneçons et les fougères arborescentes afin de dépister ses poursuivants. Au fur et à mesure qu'il approchait du lac, la pente se faisait plus raide, la marche chaque seconde plus pénible. Par endroits, afin de ne pas perdre l'équilibre, Bob devait avancer assis, le corps projeté en arrière, en appui sur les pieds et les mains. Une rumeur, au-dessus de sa tête, lui apprit que l'adversaire avait retrouvé sa piste. Il entendait des pierres rouler et, par moments, des jurons éclater en espagnol, ce qui indiquait que l'un des poursuivants venait de perdre l'équilibre.

Entre les arbres, un peu en contrebas, Bob distingua de brefs reflets bleutés.

« Le lac, pensa-t-il. Peut-être m'offrira-t-il le moyen de distancer mes poursuivants. Il suffirait d'un canot, d'un tronc d'arbre, d'un esquif quelconque et je pourrais continuer à leur faire la nique. A moins qu'une balle bien placée ne m'envoie faire un voyage sans retour au royaume des bienheureux, si une place m'y est réservée, bien entendu... »

Il franchit la ligne des arbres et déboucha sur une grève large de quelques centaines de mètres et dépourvue de toute végétation. Devant lui, le Lac Bleu s'étendait, gigantesque flaque d'indigo liquide sous les rayons éclatants du soleil. Du regard, Bob chercha une embarcation, mais il n'en repéra aucune. Au contraire, il devait faire une autre découverte, bien moins agréable celle-là : une vingtaine d'hommes armés de carabines et vêtus comme des soldats, se dirigeaient vers lui, longeant la rive. Ils étaient à deux cents mètres à peine et avaient aperçu le fugitif. Il n'était déjà plus temps de reculer. Vingt fusils s'étaient braqués sur lui menaçants, tandis qu'une voix criait :

— Rendez-vous, qui que vous soyez, ou nous vous abattons sur place...

Bob jugea inutile de résister. Les nouveaux venus étaient trop nombreux et, dans son dos, ses poursuivants se rapprochaient. Levant alors les mains en l'air, il se mit à descendre vers les soldats. Ceux-ci, leurs carabines toujours braquées, l'entourèrent. L'un d'eux, un colosse à la figure hargneuse, au teint de brique mal cuite et à l'épaisse moustache tombante, s'approcha et d'un revers de main, le gifla. Bob faillit se précipiter sur la brute pour lui rendre, au centuple, la monnaie de sa pièce. Pourtant la pensée des carabines le rappela à plus de prudence, et il se contint.

— Qui êtes-vous ? interrogea l'homme au visage couleur de brique. Que venez-vous faire ici ?

Morane haussa les épaules et ricana :

— Puisque vous aimez vous poser des devinettes, *amigo,* répondez-y vous-même...

Le colosse porta la main à sa ceinture, où se trouvait passé un long poignard à double tranchant.

— Si tu ne me réponds pas, chien, je vais te montrer comment El Toro traite ses ennemis...

— El Toro, fit Morane sans se départir de son ton moqueur... Le Taureau... Ce n'est peut-être pas là un nom qui vous a été donné à votre baptême, *amigo.* N'empêche qu'il vous va bien, non seulement en ce qui concerne l'aspect physique, mais on devine que vous possédez également l'intelligence ouverte de cet intéressant animal...

Le dénommé El Toro ne devait pas apprécier le genre d'humour pratiqué par Morane. Sa main se crispa sur le manche du couteau avec une telle force que ses phalanges blanchirent. D'une saccade, il arracha l'arme de sa ceinture et la brandit en hurlant avec rage :

— Personne ne s'est jamais moqué d'El Toro sans payer cette audace de sa vie !

Bob s'apprêtait déjà à parer à l'attaque de la brute quand, derrière lui, une voix sèche cria :

— Cessez de jouer les tranche-montagnes, Toro. Vous savez que le président a exigé que tout homme surpris après avoir pénétré dans la vallée devait lui être amené pour qu'il l'interroge. Peut-être, par la suite, si vous insistez, le président consentira-t-il à vous livrer ce *caballero*...

Morane s'était retourné. Ses poursuivants venaient de déboucher d'entre les arbres. Ils étaient une vingtaine également, vêtus eux aussi à la façon de soldats. A leur tête marchait un homme grand et d'une maigreur quasi squelettique, portant des insignes d'officier. Ses joues creuses donnaient un relief effrayant aux os de ses pommettes et, au fond de ses orbites caves, deux petits yeux noirs brillaient avec une inquiétante intensité. L'officier s'approcha de Morane et le dévisagea longuement, sans lui adresser la parole. Ensuite, il jeta un ordre :

— Attachez cet homme ! Nous allons le conduire immédiatement devant le *señor* président. Lui seul pourra décider de son sort...

Entraîné par les soldats, Bob Morane longeait à présent les rives du Lac Bleu. De près, il pouvait tout à son aise, en dépit de leur camouflage, détailler les installations de la vallée. Des bâtiments massifs devaient servir à la fois de hangars, d'entrepôts, d'arsenaux ou de casernes. Dans la paroi des falaises, des abris avaient été creusés pour recevoir une douzaine d'avions à réaction ou à propulsion classique. Sous un filet de camouflage tendu entre quatre pieux, un grand hélicoptère était remisé, semblable à un monstrueux insecte endormi. Au fond d'une large faille, des tanks devant contenir d'importantes réserves de carburant se trouvaient camouflés eux aussi. La piste d'atterrissage s'étendait sur une longueur de plusieurs kilomètres, de l'autre côté du lac. Pourtant, vue d'en haut, elle ne devait, à un éventuel observateur, évoquer qu'une étendue plate couverte de végétations folles, tant on avait pris de soins à en masquer l'apparence.

Morane songea que cette vallée était machinée comme un théâtre s'apprêtant à jouer une féerie. L'Enchanteur Merlin en personne aurait pu apparaître qu'il n'en aurait pas autrement été surpris...

En dépit de toute son attention cependant, Bob ne parvenait pas à déceler l'endroit où étaient installées les rampes d'où devaient être lancées les missiles dont la chute terrorisait les habitants de Lima et des autres grandes villes péruviennes. C'était surtout, on s'en souviendra, pour reconnaître l'emplacement de ces rampes que Morane et Ballantine s'étaient lancés à la découverte de la Vallée du Lac Bleu.

« Si j'étais libre, pensa encore Morane, je réussirais bien, à condition qu'elles se trouvent ici bien sûr, à découvrir ces rampes ! Il me suffirait pour cela de fouiller la vallée dans ses moindres recoins ce qui, après tout, ne doit pas être une besogne impossible. Et puis, des rampes de lancement pour missiles, cela ne tient pas dans le creux de la main. »

Au fur et à mesure que la petite troupe avançait, les installations se faisaient plus nombreuses. Il s'agissait maintenant de maisons d'habitation soigneusement cachées et disséminées dans les broussailles et formant une sorte de petit village. Parfois on croisait un groupe d'Indiens qui lançaient à Morane des regards hébétés. A leur démarche hésitante, à leurs épaules qu'ils portaient un peu courbées, Bob comprenait que ces gens n'étaient pas là de leur plein gré mais qu'ils étaient retenus prisonniers eux aussi. Seule, leur apathie naturelle leur faisait accepter un état de quasi-esclavage.

Morane avait été dirigé vers une habitation plus imposante que les autres et soigneusement camouflée elle aussi. De chaque côté de la porte se tenait une sentinelle en armes. L'officier qui commandait les soldats s'approcha de l'une d'elles et parlementa. Au bout d'un moment, il se tourna vers Morane :

— Si vous voulez me suivre... Vous êtes attendu... El Toro, accompagnez-nous...

Le colosse se détacha du groupe et, s'approchant de Morane, le poussa brutalement en avant. Bob jugea inutile de se formaliser de cette nouvelle agression. Bientôt peut-être, si les circonstances le permettaient, ils se trouveraient tous deux face à face, et seuls. Alors, Bob montrerait à El Toro que la corrida ne possédait aucun secret pour lui.

L'officier avait poussé la porte de l'habitation et s'était effacé pour laisser entrer Morane. Ce

115

dernier, El Toro sur les talons, pénétra dans une pièce carrée de six mètres sur six environ, aux murs couverts de cotonnades indiennes et meublée avec une certaine recherche. Dans un coin, on apercevait un lit de camp à demi caché par une moustiquaire. Au centre de la pièce, derrière un bureau fait de planches intentionnellement mal équarries, un homme était assis. Il semblait de taille moyenne et tout en lui — ses cheveux gris et soigneusement ordonnés, son visage aux joues lisses, sa mise soignée et aussi ses manières —, disait la distinction. Au premier abord, il ne semblait pas devoir inspirer la méfiance. Pourtant, on ne devait pas tarder à être frappé par l'expression de ses petits yeux bruns, où luisait un orgueil démesuré.

Quand Morane avait pénétré dans la pièce, l'inconnu s'était levé pour dire d'une voix courtoise :

— Entrez donc, *señor*... Vous venez, en vous introduisant dans cette vallée, d'y jeter la perturbation, mais, néanmoins, vous êtes le bienvenu chez moi. J'ai l'habitude de me conduire en homme du monde, même envers ceux qui viennent se mêler de ce qui ne les regarde pas.

Tout en parlant, l'inconnu avait contourné le bureau pour s'avancer de quelques pas vers son visiteur. Alors Morane se rendit compte que malgré ses chaussures à talons hauts, le personnage était tout petit, presque un nain. Pourtant, Bob ne douta pas un seul instant se trouver en présence du maître de la vallée, de ce « président » dont avait parlé l'officier. '

CHAPITRE XIII

— Laissez-moi me présenter, *señor*... Je m'appelle Ramon Pedregal...

Bob ne broncha pas. Ce nom ne lui disait rien.

Pedregal s'était assis à nouveau derrière son bureau. Grâce sans doute à des coussins surélevant son siège, il paraissait maintenant de taille tout à fait normale. Voyant que son interlocuteur ne réagissait pas, le petit homme continua avec, cette fois, un léger frémissement d'impatience dans la voix :

— Vous ne semblez pas me connaître, *señor* ! Il est vrai que vous êtes étranger. Pourtant, le nom de Ramon Pedregal est célèbre dans le monde des affaires...

— Je n'ai rien à voir avec ce monde-là, répondit Morane. Les affaires et moi, vous savez... Pour tout vous dire, je n'ai jamais de ma vie éprouvé le moindre intérêt pour un cours de bourse... Et si je fais un jour une O.P.A. ce sera sur les contes de fées.

Pedregal sourit avec condescendance.

— Naturellement, il faut de tout pour faire un monde. Mais puisque nous savons à présent que vous n'êtes pas un homme d'affaires, qui êtes-vous donc ?

— Un simple voyageur, *señor*... Un touriste un peu audacieux qui a eu le tort de s'égarer dans ces régions perdues.

— Un touriste ?... Mais encore... Je vous ai donné mon nom, et il me serait agréable de connaître le vôtre.

Malgré la grande courtoisie de son hôte, Morane savait qu'il s'agissait seulement d'une apparence. Dans très peu de temps sans doute, le dénommé Ramon Pedregal laisserait tomber le masque pour se révéler tel qu'il était en réalité : féroce et sans scrupule. Aussi Bob jugea-t-il prudent de ne pas révéler sa véritable identité. Il n'avait pas de papiers sur lui, ni dans son sac, aussi pensa-t-il pouvoir se servir d'un nom dont il avait usé déjà en différentes circonstances.

— Puisque vous tenez absolument à le savoir, *señor* Pedregal, dit-il, je me nomme Peters... Jules Peters...

— Français ?

Morane secoua la tête négativement.

— Non, fit-il. Belge... De Bruxelles...

Pedregal eut le même sourire condescendant que tout à l'heur.

— Je connais Bruxelles, dit-il, car je m'y suis rendu à différentes reprises. Une jolie ville, qui possède un ange tutélaire bien étrange...

— Vous voulez sans doute parler de saint Michel ?...

— Non ! Pas de saint Michel... Mais de ce petit bonhomme qui... que...

— J'y suis, fit Bob. Il s'agit sans doute de Manneken-Pis...

Le visage de Pedregal s'éclaira soudain.

— C'est cela, dit-il d'une voix joyeuse... Manneken-Pis... Manneken-Pis...

Morane n'était pas dupe du petit jeu de son interlocuteur. Il savait que celui-ci, en lui posant ces questions, lui tendait un piège afin de s'assurer si la nationalité qu'il venait d'avouer était bien réelle. Par chance, Morane connaissait la Belgique aussi bien que la France. C'était pour cette raison d'ailleurs qu'il avait affirmé s'appeler Jules Peters...

— Ainsi vous êtes belge, dit Pedregal. Et puis-je savoir ce que vous venez faire dans ces montagnes perdues ?

— Bien certainement, *señor*. Voyez-vous, il y a peu de temps, j'ai gagné cinq millions de francs belges à la loterie... Oui, le gros lot du tirage de Noël... Alors, j'ai quitté la banque où je travaillais en qualité de comptable et ai décidé de voyager un peu. Comme j'ai toujours aimé à la fois la montagne et les pays exotiques, j'ai tout naturellement choisi le Pérou, comptant y faire de l'escalade. Voilà la raison de ma présence dans la Cordillera Blanca. Je faisais un peu d'alpinisme dans la région quand, hier, ayant quitté le campement seul, sans guide, je me suis égaré. En essayant de retrouver mon chemin, je me suis perdu davantage pour finir, après une escalade périlleuse, par pénétrer dans cette vallée...

Durant un long moment Pedregal dévisagea son interlocuteur, comme s'il voulait lire dans ses plus secrètes pensées.

— Tout cela est parfait, fit-il, mais qui me dit que vous ne mentez pas ?

— Pourquoi mentirais-je ? Je n'ai rien à me reprocher. Je suis un alpiniste égaré. Vous me recueillez et, dans quelques jours, aujourd'hui même si vous le désirez, je regagnerai avec votre aide le village le plus proche. Oh ! rassurez-vous, tous les frais vous seront remboursés et, si vous voulez bien me donner un guide et quelques porteurs, je les rétribuerai largement.

Ramon Pedregal éclata d'un rire ténu, faisant songer au bruit produit par deux coupes de cristal qu'on heurte doucement.

— Et moi qui me réjouissais déjà de pouvoir goûter votre compagnie, *señor* Peters... Non, non, il n'est pas possible que vous me quittiez si vite. Voyez-vous, je m'ennuie dans ma solitude et les hommes du monde viennent rarement visiter ces régions perdues.

— Naturellement, dit Bob, je ne suis pas obligé de partir immédiatement. Si vous avez un tel besoin de compagnie, je puis demeurer ici durant quelques jours. Ensuite seulement vous m'aiderez à regagner le prochain village.

La colère empourpra soudain les joues lisses de Ramon Pedregal. Il se dressa, tentant de hausser le plus possible sa petite taille. Les poings appuyés au bureau, il hurla :

— Jamais vous ne sortirez de cette vallée, *señor* Peters ! Vous êtes venu ici pour m'espionner et vous allez payer cher votre témérité !...

— Vous espionner ? dit Bob en feignant la surprise la plus complète... Je ne comprends pas ce que vous voulez dire, *señor*... Y aurait-il, par hasard, quelque chose à espionner ici ?

Si Morane s'était laissé aller, il aurait, au lieu de tenir ces propos modestes, répondu plus vertement à Pedregal. Pourtant, derrière lui, à la porte de la pièce, se tenaient l'officier et El Toro, prêts sans doute à intervenir. Au-dehors, il y avait en plus les soldats, dont Bob ignorait le nombre précis. La lutte se serait donc révélée par trop inégale et il préférait, pour le moment du moins, se tenir à carreau. D'ailleurs, la colère du petit homme était tombée aussi subitement qu'elle était venue.

Il s'était rassis et, à nouveau, avait longuement scruté le visage de Bob. Finalement, il hocha doucement la tête.

— Soit, *señor* Peters. Je veux bien croire à votre bonne foi et cela malgré qu'il soit difficile, voire impossible, à un homme seul de parvenir jusqu'ici par le chemin de la montagne. En attendant la preuve du contraire, je vous laisse donc le bénéfice du doute.

Feignant la surprise la plus complète, Morane balbutia :

— Le bénéfice du doute ? Ah ça, je ne vous comprends pas ! Comme si j'étais un malfaiteur... Mais que se passe-t-il donc ici ?... Que diable, que se passe-t-il donc ici ?...

122

Derrière son bureau, Pedregal demeura immobile et muet, comme si soudain il avait été touché par le regard pétrifiant de Méduse. Ensuite, il dit lentement :

— Ce qui se passe ici ? *señor* Peters ? Désirez-vous le savoir ?

Bob eut un signe de tête affirmatif.

— Puisque je vous le demande... Après tout, j'ai le droit de savoir si je suis tombé chez des honnêtes gens ou dans un repaire de brigands.

A nouveau, Ramon Pedregal se leva, mais sans colère cette fois, et il se mit à marcher de long en large derrière le bureau. Cela dura une vingtaine de secondes puis, s'immobilisant soudain, il se tourna vers Morane et, campé sur ses jambes écartées, dressé sur ses talons hauts et tentant de ne pas perdre un pouce de taille, il dit :

— Vous voudriez bien savoir ce qui se passe ici, *señor* Peters ? Eh bien, je vais vous l'apprendre ! Puisque de toute façon, vous ne quitterez pas cette vallée de sitôt, rien ne s'oppose à ce que vous connaissiez la vérité. Ainsi, vous n'ignorerez rien des projets de celui que, bientôt, le Pérou tout entier ne désignera plus que sous le nom de Pedregal le Grand.

« Pedregal le Grand, pensa Morane. Voilà que recommence l'histoire de la grenouille qui voulait se faire aussi grosse que le bœuf. M'est avis qu'avant longtemps cette grenouille-ci pourrait éclater, tout comme celle de la fable... »

Malgré lui, Bob se sentait saisi par une envie

de rire. Pourtant il se retint. Il devinait que ce n'était pas le moment d'affronter Pedregal. Puisque ce dernier semblait se trouver en veine de confidences, mieux valait lui laisser l'initiative des opérations.

**
*

Ramon Pedregal s'était assis à nouveau et avait posé ses mains blanches et fines à plat sur le dessus du bureau.

— Sans doute, *señor* Peters, avez-vous entendu parler de Miguel Vocero, l'ancien président du Pérou, qu'Ambrosio Cerdona a jeté bas. Eh bien ! Vocero, qui était une brute instinctive, ne serait jamais parvenu au pouvoir sans mon aide et celle de quelques autres gros industriels et propriétaires miniers. Ce fut à moi cependant qu'il dut la plus grande partie de son succès. Ne suis-je pas en effet connu, au Pérou, sous le nom de « Roi des Mines » ? Ma fortune est immense et je puis me permettre toutes les fantaisies. Je peux à ma guise conduire un président au pouvoir ou le jeter bas. Vocero était mon homme de paille. En maintenant le peuple péruvien dans un état de semi-esclavage, il me permettait d'obtenir, pour mes mines d'étain, d'argent et d'or, de la main-d'œuvre extrêmement peu coûteuse. Hélas, je vous l'ai dit déjà, Vocero était une brute instinctive ! Il aurait dû se contenter de se conduire en dictateur ; il mena le Pérou à la façon d'un tyran et, un beau jour, ce même Pérou, conduit par

124

l'honnête, le bon, l'intègre, l'incomparable Ambrosio Cerdona, se souleva tout entier pour abattre son bourreau. Malgré son intelligence obtuse, Miguel Vocero avait cependant prévu pareille éventualité. Secrètement, aidé en cela par une poignée de partisans fanatiques, il avait fait aménager cette vallée en forteresse où, au cas où il serait chassé du pouvoir, il pourrait se réfugier pour attendre, dans une sécurité relative, l'heure de la revanche. Ses partisans avaient parachuté tout le matériel nécessaire au-dessus de la vallée et, petit à petit, d'énormes quantités de matériel, de vivres, de munitions, de carburant avaient été stockées. Des avions à réaction furent entreposés ensuite dans des refuges creusés dans les falaises. Cependant, Miguel Vocero n'était pas assez fou pour espérer pouvoir un jour reconquérir sa couronne avec des forces aussi dérisoires. Je lui conseillai alors d'installer, dans cette vallée, des rampes pour missiles dotées d'un mode de lancement tout à fait original. Ces fusées furent acheminées vers le Pérou en pièces détachées, sous la dénomination de « matériel agricole ». Bien entendu, comme à cette époque Vocero était toujours au pouvoir, les caisses ne furent pas ouvertes par les services de douanes, et les fusées entrèrent sans encombre dans le pays. Les rampes de lancement furent installées par des hommes en qui Vocero avait toute confiance et qui, seuls avec lui-même, devaient en connaître l'emplacement. Vocero ne devait d'ailleurs jamais faire usage des missiles. Ce fut au moment qu'il tentait de regagner cette vallée, pour s'y retrancher, qu'il fut tué, avec un grand nombre de ses fidèles, par les partisans d'Ambrosio Cerdona. Aussitôt au pouvoir, ce dernier s'empressa de promulguer des lois sociales protégeant les travailleurs. Le taux des salaires fut considérablement élevé, ce qui, pour moi et les autres industriels et propriétaires miniers ayant jadis soutenu secrètement Miguel Vocero, entraîna une perte sèche s'élevant chaque année à des millions et des millions de dollars. Comme je connaissais l'emplacement de la forteresse de Miguel Vocero, je décidai, en accord avec d'autres industriels, d'en user contre Cerdona. Les fidèles de Vocero qui étaient demeurés ici en espérant des jours meilleurs — tous avaient quelques crimes contre le peuple à se reprocher — me reçurent en ami. Ces hommes avaient besoin d'un chef, et je n'eus aucun mal à me faire accepter par eux comme tel. Tous les hommes qui connaissaient l'emplacement des rampes de lancement étaient morts au cours des combats contre les partisans de Cerdona. Je me mis à la recherche de ces rampes et, après des jours et des jours de quête infructueuse, je finis par les découvrir ainsi que les missiles eux-mêmes. Bien entendu, j'en gardai le secret pour moi seul et, aussitôt, passai à l'action contre Cerdona. Comme je ne possédais pas les forces armées suffisantes pour me lancer directement à la conquête du pays et prendre le pouvoir, il me fallait avant tout semer la terreur parmi la population des

126

grandes cités. C'est là que les missiles de ce pauvre Miguel Vocero devaient m'être utiles... Terrorisé par ces bombardements sporadiques, dont il ignorerait l'origine, le peuple péruvien, pour que cessent massacres et destructions, demanderait tôt ou tard à Cerdona d'abandonner le pouvoir. Je n'aurais, plus alors qu'à prendre sa place et à me faire, à mon tour, plébisciter au poste présidentiel. Je mis aussitôt mon plan à exécution et, comme vous le savez assurément, *señor* Peters, les missiles se mirent à pleuvoir sur Lima et plusieurs autres grandes villes. Certes, elles n'étaient guère nombreuses car je n'en possédais pas des milliers à ma disposition. A peine deux cents, tout au plus, mais cela devait me suffire. Voilà quelques jours, j'ai adressé un ultimatum au président Cerdona, ultimatum appuyé par une demi-douzaine de projectiles qui ont anéanti le quartier s'étendant aux alentours du palais gouvernemental. Cerdona n'a pas encore démissionné, mais je sais que des journaux ont suggéré déjà, à demi-mot, qu'il abandonne le pouvoir. Voulant activer les choses, j'ai tenté de faire éliminer directement Cerdona. Malheureusement, mes exécuteurs ont manqué leur coup et sont morts tous deux dans un accident de voiture, alors qu'ils étaient poursuivis par la police...

— Et s'ils avaient été pris vivants ? interrompit Morane. Vous couriez le risque qu'ils parlent...

Ramon Pedregal se mit à rire silencieusement et secoua la tête.

— Non, *señor* Peters, je ne courais pas ce risque... Les exécuteurs ne connaissaient rien de mes plans. Ils ne savaient même pas de qui ils recevaient leurs ordres... Je leur faisais parvenir un petit billet et leur fixais rendez-vous à une heure et un endroit précis...

— Justement, interrompit encore Bob, ils pouvaient être suivis à ce rendez-vous et, alors, la police n'aurait plus eu qu'à vous cueillir...

Ramon Pedregal se mit à rire de plus belle.

— Puisque vous voulez tout savoir, *señor* Peters, la police a eu connaissance de l'endroit et de l'heure où j'attendais mes deux exécuteurs pour qu'ils me rendent compte des résultats de leur mission. Malheureusement pour les policiers, quand ils se présentèrent au rendez-vous, ils ne trouvèrent rien qui ressemblât de près ou de loin à Ramon Pedregal. Un mannequin derrière un rideau, un magnétophone commandé par un système d'horlogerie et un poste émetteur de radio, et le tour était joué. On tenta même de me faire croire, par ce poste, à la mort de Cerdona, mais je ne devais cependant pas tarder à apprendre par une autre voie que celui-ci avait échappé à l'attentat.

Pendant un instant, Ramon Pedregal se tut, contemplant avec une satisfaction évidente ses mains blanches et fines, qu'il avait gardées posées à plat sur le bureau.

— Ainsi, *señor* Peters, dit-il encore, le président Cerdona ignore encore tout de l'identité de ses adversaires. Certes l'attentat direct contre lui a échoué. Pendant quelques jours, j'ai suspendu le lancement des missiles afin de doser l'angoisse, mais bientôt les bombardements reprendront; avec une intensité accrue cette fois. Alors ce sera la fin de Cerdona. Je me ferai élire à la présidence et m'arrangerai pour que, bientôt, on ne m'appelle plus que Pedregal le Grand... Vous m'entendez, *señor* Peters!... Pedregal le Grand!

En prononçant ces dernières paroles, le petit homme s'était cambré au maximum sur son siège, comme s'il avait voulu toucher de la tête les poutres du plafond.

— Etes-vous certain de ne pas être soupçonné? interrogea le pseudo Jules Peters. Car, enfin, l'absence d'un industriel de votre importance n'a pu manquer d'être remarquée...

— Je prends mes précautions, rassurez-vous, expliqua Pedregal. Je ne demeure pas continuellement ici. De temps à autre, un avion de tourisme me mène à Lima ou à Callao ou à l'une de mes entreprises minières. Comme je me suis toujours déplacé de cette façon, personne n'y trouve rien à redire.

Morane considérait le « Roi des Mines » avec un intérêt mêlé de dégoût. Sans doute était-ce seulement à cause de sa petite taille que Ramon Pedregal voulait s'élever à tout prix au-dessus des hommes. Mû par un instinct forcené de s'affirmer, il avait amassé une prodigieuse fortune et, maintenant, voulant toujours s'élever davantage, il briguait la présidence du Pérou. Pour devenir un « grand homme », Pedregal ne reculerait devant aucun crime même si, comme le dit la chanson, il ne pourrait jamais être qu'un grand homme tout petit.

Bob devait se tenir à quatre pour ne pas dire à son interlocuteur ce qu'il pensait de lui. Provoquer la colère de Pedregal ne mènerait à rien. Au contraire, mieux valait feindre, lui marquer de l'admiration pour, ensuite, si l'occasion s'en présentait — et Morane était bien décidé à tout mettre en œuvre pour cela —, lui jouer quelque tour pendable qui mettrait fin à jamais à ses ambitions. Pour le moment, Pedregal ne semblait pas douter que Morane se nommât réellement Jules Peters. C'était toujours là un point de gagné. Il fallait à tout prix profiter de cet avantage.

— Il n'y a pas à dire, président, fit Bob avec un sourire amène, vous avez joliment mené votre barque jusqu'à présent. Si vous voulez mon avis, vous êtes sur la voie du succès et Cerdona ferait bien, dès maintenant, de préparer ses bagages. Il y a une semaine, quand je me trouvais à Lima, la situation n'était guère brillante et, dans les rues, j'ai entendu les gens du peuple murmurer contre un gouvernement qui ne se révélait même pas capable de les protéger, eux, leurs maisons et leurs familles.

A ces dernières paroles de son prisonnier, la satisfaction avait envahi le visage de Pedregal.

— A la bonne heure, *señor* Peters, fit-il. Je vois que vous prenez la chose par le bon bout. J'ai toujours considéré les Belges comme un peuple réaliste, et votre attitude me prouve que je ne me trompais pas. Ainsi, vous paraissez persuadé de mon succès... Si vous le désirez, il ne tient qu'à vous d'y prendre part...

— Que voulez-vous dire ?

— Tout simplement que, si vous acceptez de me servir, je ne vous oublierai pas lorsque j'aurai en main les destinées du Pérou. Vous me paraissez un homme décidé et courageux et j'aurai besoin, bien que vous soyez étranger, de collaborateurs de votre sorte.

— Vous aider ? demanda Bob. Et que faut-il faire pour ça ?

— Peu de chose pour le moment, *señor* Peters. Je manque de personnel ici dans la vallée. Si vous y consentez, je pourrais vous employer à certains travaux de construction et d'aménagement. Voyez-vous, bien que la victoire soit proche pour moi, je tiens à garder cette forteresse en état, car elle pourrait encore me servir au cas où, plus tard, les événements tourneraient en ma défaveur. Il ne faut pas être pessimiste, certes, mais il est bon également de tout prévoir longtemps à l'avance.

— Et si je refusais de vous aider ? demanda Bob d'une voix intentionnellement hésitante.

— Si vous refusiez, *señor* Peters ? répondit Pedregal sur un ton mi-suave, mi-cruel... Si vous refusiez ?... Eh bien, je vous offrirais tout simplement une tombe quelque part sur la rive du lac et jamais plus personne n'entendrait parler du *señor* Jules Peters...

— Dans ce cas, fit Bob, il n'y a pas à hésiter. Entre la tombe et vous aider, je choisis cette dernière solution. Les Belges, vous venez de l'affirmer vous-même, sont des gens réalistes, et c'est avec plaisir que j'assisterai à votre triomphe... en espérant que vous ne m'oublierez pas ensuite.

Ramon Pedregal se leva derrière son bureau, marquant ainsi la fin de l'entretien.

— Je suis ravi de vous savoir dans de telles dispositions, *señor* Peters. Oh ! ne vous faites aucune illusion. Pour l'instant, vous serez traité en prisonnier et gardé à vue. Vous comprendrez en effet que, vous connaissant à peine, je ne puis vous faire totalement confiance. Plus tard, nous verrons si vous en êtes digne...

Se tournant vers l'officier et El Toro, qui n'avaient pas quitté la pièce, le Roi des Mines commanda :

— Conduisez cet homme auprès de l'autre prisonnier. Tant qu'il se montrera docile, traitez-le bien. Dans le cas contraire, n'hésitez pas... J'aime mes ennemis... seulement quand ils sont morts...

CHAPITRE XIV

Toujours encadré par l'officier squelettique et El Toro, Morane avait été mené à une petite maisonnette aux murs et au toit de ciment. Il avait été poussé à l'intérieur et la lourde porte de bois s'était refermée sur lui.

Quand il fut seul, Bob entreprit de reconnaître ce qui, sans doute, devait être son gîte au cours des jours à venir. Il se trouvait dans une pièce carrée de cinq mètres sur cinq environ, et qui prenait jour par une unique fenêtre solidement grillagée. Une table de bois blanc, mal équarrie, une chaise et un lit de camp en composaient tout l'ameublement. Une couverture était jetée sur le lit et, à certains détails, Bob comprit que la pièce avait déjà un occupant, absent pour le moment. Qui était cet occupant ? Sans doute le prisonnier dont Ramon Pedegral avait parlé. Quant à l'identité de ce prisonnier, Morane l'avait devinée sans avoir encore pourtant de certitude à ce sujet.

Rapidement, Morane résuma la situation. Il se trouvait au pouvoir de Ramon Pedregal et sans doute condamné à travailler pour lui dans la vallée. Cependant, la situation n'avait rien de désespéré. Non seulement il demeurait en vie, mais Pedregal ne semblait pas prévenu contre lui et avait, du moins en apparence, accepté ses explications. En outre, Bill était libre. Quand il ne verrait pas son ami reparaître à l'entrée du Défilé des Condors, il regagnerait aussitôt Lima pour indiquer au président Cerdona l'emplacement précis de la Vallée du Lac Bleu, dont les troupes régulières s'empareraient sans coup férir. D'après ce que Morane avait pu en juger en traversant la vallée, il ne faudrait pas plus de quelques heures aux parachutistes pour se rendre maîtres de la place. Morane décida de prendre son mal en patience et d'attendre qu'on vint le libérer.

Une heure s'écoula. Des soldats apportèrent un second lit de camp et un repas composé de riz, de viande et arrosé d'eau claire. Quand les soldats se furent retirés, Bob s'assit sur le lit qui lui était destiné, et se restaura copieusement. Ensuite, il s'allongea et, les mains croisées derrière la nuque, demeura les yeux rivés au plafond, en s'efforçant surtout de ne penser à rien, ou tout au moins à toute autre chose qu'à sa situation présente.

Le soir tombait. Seule, une lumière diffuse entrait encore par la fenêtre garnie de barreaux. La porte s'ouvrit à nouveau et El Toro pénétra dans la pièce, accompagné d'un second personnage que Morane ne connaissait pas. El Toro se

chargea de faire les présentations. Il désigna
Morane à l'inconnu et dit :

— Comme vous le voyez, *señor* Collins, je ne
vous avais pas menti. Vous avez de la compagnie...

La brute s'interrompit, éclata d'un rire gras et
féroce, puis continua :

— De la compagnie... Ainsi si vous tentez de
fuir tous deux, j'aurai le double plaisir de vous
faire passer ensemble de vie à trépas. Voilà pas
mal de temps que ma bonne lame n'a plus servi
et, si cela continue, je crains fort qu'elle ne se
rouille...

Continuant à ricaner, le colosse tourna les
talons et sortit. La porte claqua derrière lui et le
verrou extérieur grinça en glissant dans sa
gâche.

Morane s'était assis sur le lit de camp et, à la
faveur des dernières lueurs du jour, Collins le
dévisageait. Au bout d'un moment, il sourit et
dit en anglais :

— Je ne suis pas mécontent d'avoir enfin de
la compagnie. Je commençais à m'ennuyer
sérieusement tout seul au milieu de ces forbans.
Puisque vous savez par cette brute d'El Toro
que je me nomme Collins, j'aimerais, moi aussi,
connaître votre nom...

Morane hésita un instant et considéra le
nouveau venu avec attention. Collins était
grand, avait les cheveux châtains, l'œil clair et
paraissait sympathique. Pourtant Morane
décida de ne pas se fier à cette apparence
favorable. L'homme qui se tenait devant lui

pouvait, certes, être Collins, mais il pouvait également être un quelconque espion envoyé par Ramon Pedregal pour lui soustraire la vérité quant aux raisons réelles de sa présence dans la vallée. Aussi Bob jugea-t-il plus prudent de conserver encore l'incognito. Plus tard, quand il serait certain de pouvoir faire confiance audit Collins, il serait temps de lever le masque.

Morane s'avança la main tendue vers Collins, en disant, en anglais également :

— Ravi de faire votre connaissance. Mon nom est Jules Peters... Je faisais un peu d'alpinisme dans la région et je me suis égaré. En tentant de retrouver mon chemin après une périlleuse escalade j'ai atteint cette vallée, pour y être retenu prisonnier...

— Je voyageais moi aussi dans la région, expliqua Collins. Une avalanche causa la mort de mes compagnons et je me retrouvai seul, perdu au sein des neiges éternelles...

Tous deux s'étaient assis côte à côte sur le lit de Morane. Par le menu, Collins raconta comment il avait atteint la muraille de glace et comment un hélicoptère l'avait transporté dans la Vallée du Lac Bleu. Il parla de sa première entrevue avec Ramon Pedregal, qui lui avait tenu les mêmes propos qu'à Morane. Il parla également de son existence dans la vallée où il devait travailler en compagnie d'Indiens captifs eux aussi. Pourtant, Collins omit de mentionner ce message qu'il avait envoyé au président Cerdona.

« Peut-être évite-t-il d'en parler parce qu'il se méfie de moi, songea Morane. Peut-être aussi n'en parle-t-il pas parce qu'il n'est pas Collins et que, par conséquent, il doit ignorer l'existence du message… »

— Et vous n'avez pas, jusqu'ici, tenté de communiquer avec l'extérieur ? interrogea Bob afin de sonder son interlocuteur.

— Communiquer avec l'extérieur ? fit Collins… Vouloir fuir serait de la folie. Même si l'on réussissait à quitter la vallée, que pourrait-on faire sans armes, sans vivres, sans vêtements chauds, perdus dans les neiges éternelles de la cordillière ? Ce serait trouver la mort à brève échéance.

— Je n'ai pas parlé précisément de fuir, dit encore Morane. Vous auriez pu tenter d'envoyer un message… que sais-je ?… Le président Cerdona serait assurément ravi de connaître l'existence de cette ancienne forteresse de Miguel Vocero.

Il sembla à Morane que Collins avait sursauté légèrement à ces dernières paroles, mais il ne pouvait cependant en être certain.

— Un message ? fit Collins avec une surprise qui était peut-être feinte. Comment serait-il possible de le faire parvenir à Lima ?

Il se mit à rire et continua sur un ton badin :

— Peut-être ne le savez-vous pas, monsieur Peters, mais il n'y a pas de bureau de poste dans cette vallée. Envoyer un message… Non ! Non ! C'est impossible…

La conversation tomba. Ce fut Bob qui la ranima.

— Pourquoi ne pas essayer de faire se soulever les paysans indiens qui travaillent ici ? demanda-t-il. D'après ce que j'ai pu en juger, ils doivent eux aussi être prisonniers et, sans doute, traités comme des bêtes de somme. S'ils sont relativement nombreux, ils pourraient nous aider à nous rendre maîtres de la vallée. Au départ, il suffirait de s'assurer de la personne des gardes et de saisir leurs armes, grâce auxquelles, agissant par surprise, on pourrait s'emparer d'un arsenal. Ensuite...

— Ce n'est pas possible, interrompit Collins. Ces Indiens sont des êtres paisibles et résignés. Ils ont peur de Pedregal et de ses hommes. Toute tentative de révolte serait, au départ, vouée à l'échec...

Morane jugea imprudent d'insister.

— Tant pis, fit-il. Puisque nous ne pouvons espérer recouvrer la liberté par nos propres moyens, faisons contre mauvaise fortune bon cœur. Après tout, si Pedregal réussit à s'emparer du pouvoir, nous ne ferons pas une si mauvaise affaire. Nous aurons tout intérêt, alors, à nous trouver dans le camp du vainqueur.

Bien entendu, Morane avait parlé ainsi dans le seul but d'endormir la méfiance de Collins, au cas où ce dernier serait réellement un complice de Pedregal ayant usurpé le nom de l'explorateur américain.

Les quelques jours qui suivirent auraient été pour Morane d'une monotonie désespérante s'il ne les avait passés à inspecter la vallée. Avec Collins et les Indiens, qui étaient au nombre d'une cinquantaine, il devait travailler soit à l'entretien des refuges pour avions ou de la piste d'atterrissage, et il pouvait à loisir étudier les lieux. Au bout du quatrième jour, ceux-ci lui étaient devenus familiers. Il connaissait l'emplacement des casernes servant à loger les soldats qui, au nombre d'une centaine environ, formaient la garnison de la forteresse. Il connaissait également la situation de chacune des excavations dans lesquelles étaient remisés les avions, et aussi celle des entrepôts de matériel et des arsenaux. Par contre, à son grand désappointement, il n'avait trouvé aucune trace des rampes de lancement, ni des missiles. Bien que, de plus en plus, il croyait pouvoir faire confiance à Collins, il n'avait pas encore osé interroger celui-ci à ce sujet.

Comme il est aisé de le deviner, Morane n'acceptait pas cette situation de gaieté de cœur. Au fond de lui-même, il ne nourrissait qu'une pensée : trouver le moyen de quitter la vallée et, en même temps, d'empêcher Ramon Pedregal de mettre ses sinistres desseins à exécution. Pourtant, il n'était guère aisé, pour l'instant du moins, de réaliser ce double projet. Comme l'avait affirmé Collins, deux hommes seuls, sans armes, sans vivres ni vêtements chauds ne pouvaient espérer s'échapper, et il n'y avait aucune aide à attendre des travailleurs indiens. Bob se trouvait donc réduit à surveiller le ciel, espérant y voir apparaître les avions qui, venus de Lima, lâcheraient les troupes aéroportées au-dessus de la vallée. Mais les seuls appareils visibles étaient les chasseurs de Pedregal qui, de temps à autre, survolaient la région pour effectuer de courtes missions de reconnaissance.

D'autre part, l'incertitude quant au sort de Ballantine tenaillait Morane. Bill avait-il réussi à regagner le campement du Défilé des Condors ? Et s'il s'était égaré parmi les séracs, où une nouvelle tempête de neige pouvait l'avoir surpris ? Il pouvait également avoir fait une chute en redescendant le long de la muraille de glace... Bob ne savait que penser, et chaque heure qui s'écoulait était pour lui une heure de douloureuse inquiétude.

Quatre mortelles journées s'écoulèrent donc ainsi. Au soir du quatrième jour, Morane et Collins se retrouvèrent seuls, comme d'habitude, entre les quatre murs de leur prison. L'Américain paraissait inquiet.

— Ce que je ne comprends pas, dit-il, c'est pourquoi, depuis près d'une semaine maintenant, nous n'avons plus été obligés de regagner en pleine journée les maisons. Pedregal aurait-il définitivement interrompu ses bombardements ?...

— Que voulez-vous dire ? interrogea Bob. Pourquoi aurait-on dû nous faire regagner en pleine journée les maisons et quel rapport cela a-t-il avec les bombardements par fusées ?

— Quel rapport ? Celui-ci, tout simplement : chaque fois que des missiles devaient être lancés, on nous faisait rentrer à l'intérieur des maisons, dont les fenêtres étaient, toujours sur l'ordre de Pedregal, soigneusement fermées et occultées afin qu'on ne puisse rien apercevoir de ce qui se passait au-dehors.

— C'est-à-dire pour que les habitants de la vallée ne puissent voir d'où partaient les missiles, n'est-ce pas ? fit Bob.

— Exactement... Mais ce qui est étrange, c'est que ces ordres ne s'étendaient pas seulement à moi et aux travailleurs indiens, mais également aux soldats et aux officiers, c'est-à-dire à tout le monde en dehors de Pedregal...

Bob Morane demeura un instant songeur, pour dire ensuite :

— De ce que vous venez de m'apprendre, il faudrait donc déduire que Pedregal est le seul, vous m'entendez bien, LE SEUL à connaître l'emplacement précis des rampes de lancement. Dans ce cas, lui seul également doit pouvoir commander le départ des missiles.

L'Américain eut un signe de tête affirmatif.

— Sans doute... Sans doute... Comme vous venez de le dire, et comme j'ai pu m'en rendre compte moi-même, Pedregal doit en effet être seul à connaître l'emplacement précis des rampes. Si nous n'avons pas été consignés dans les maisons depuis une semaine, c'est que réellement les bombardements ont cessé... Je me demande ce que cela peut bien vouloir dire. Pedregal serait-il à court de missiles ?

Morane ne le pensait pas. Il se souvenait des paroles prononcées quelques jours plus tôt par le Roi des Mines, lors de leur unique entrevue : « Pendant quelques jours, j'ai suspendu le lancement des missiles afin de doser l'angoisse, mais bientôt les bombardements reprendront avec une intensité accrue cette fois. Alors ce sera la fin de Cerdona. Je me ferai élire à la présidence et m'arrangerai pour que, bientôt, on ne m'appelle plus que Pedregal le Grand... Vous m'entendez, *señor* Peters... Pedregal le Grand ! »

Et Bob pensa : « Ce calme est celui-là même qui précède les tempêtes. »

Il devinait que, bientôt, les bombardements sur les grandes villes du Pérou, et sur Lima en particulier, reprendraient avec une violence plus grande encore, et il se trouvait dans l'impossibilité de pouvoir empêcher cela. Il se demandait également comment Pedregal pouvait, seul, mener à bien ces bombardements. Des missiles, cela demandait de nombreuses mises au point, des manipulations multiples auxquelles un seul homme ne pouvait normalement suffire. A cette énigme, Bob ne pouvait, pour l'instant du moins, trouver de réponse satisfaisante, mais il se promettait bien de creuser le problème au cours de la nuit. Ce qu'il voulait surtout, c'était empêcher Pedregal de reprendre ses bombardements, de provoquer

de nouvelles destructions, de sacrifier de nouveaux innocents.

« Il faut que je trouve ! pensa Morane avec
force. Il faut que je trouve !... »

CHAPITRE XV

Malgré ce dicton populaire suivant lequel la nuit porte conseil, Bob Morane n'était pas parvenu à trouver de solution au problème qui le hantait. Pendant plusieurs heures, il s'était tourné et retourné sur son lit de camp, en proie aux cogitations les plus forcenées pour, finalement, harassé par une journée de labeur, sombrer dans une torpeur inquiète.

Durant toute son existence, Morane avait été sujet aux cauchemars. Il affirmait lui-même en riant que, sans se contenter de vivre l'aventure éveillé, il la vivait encore en dormant.

Cette nuit-là, il en fut de même que beaucoup d'autres nuits. Il rêva qu'il se trouvait isolé sur la place principale d'une grande cité déserte, probablement Lima, et que, du haut du ciel, un gigantesque missile fonçait directement sur lui. Au fur et à mesure qu'il se rapprochait et grossissait, Bob se rendait compte qu'il avait le visage de Ramon Pedregal peint à l'avant. Ce visage s'animait d'un rictus féroce puis, au moment où l'engin allait l'atteindre, un bras sortait du corps du missile et tendait vers lui une main griffue. Bob se sentit secoué, tandis qu'une voix disait :

— Commandant !... Commandant...

Arraché soudain de son sommeil, Bob sursauta et ouvrit les yeux. Une forme humaine se penchait vers lui et une lourde poigne s'appesantissait sur son épaule.

— Commandant !... Commandant !... répétait doucement la voix.

Cette voix, Bob la reconnaissait maintenant. En dépit des ténèbres presque totales régnant dans la pièce, il reconnaissait aussi la silhouette puissante qui le dominait.

— Bill ! balbutia-t-il. Bill !... Que fais-tu là ?

— Je n'ai pas l'habitude de laisser tomber mes amis, souffla le colosse. Après avoir rejoint le campement, à l'entrée du défilé, j'ai attendu votre retour comme il avait été convenu. Comme vous n'étiez pas reparu dans le délai prévu, je me suis apprêté à regagner Lima. Pourtant, à la dernière minute, je n'ai pu me résoudre à vous abandonner et j'ai décidé de me lancer à votre recherche. J'ai remis à Lupito la carte détaillée dressée par vous, ainsi qu'une lettre destinée au président Cerdona. Après le départ de notre guide, j'ai franchi à nouveau la muraille de glace pour pénétrer à mon tour dans la vallée. A la jumelle, je vous ai aperçu occupé à travailler et ai attendu durant plusieurs jours le moment propice pour venir vous délivrer. J'avais soigneusement repéré l'endroit où vous étiez retenu prisonnier et, cette nuit, comme la lune est cachée, j'en ai profité pour descendre jusqu'ici sans être vu. J'ai assommé la sentinelle postée devant cette baraque, et me voici...

— Tu n'aurais pas dû venir, Bill. A présent, nous risquons d'être prisonniers tous deux. Et puis, mes ordres étaient formels. Tu devais aller personnellement porter la carte au président Cerdona. Et si Lupito ne remplissait pas sa mission ?...

— Il la remplira, soyez tranquille commandant. Non seulement je lui ai promis, au nom du président, une prime dont le montant ferait rêver plus d'un pauvre diable, mais je l'ai assuré également que, s'il accomplissait sa mission dans le plus bref délai, le gouvernement péruvien lui accorderait une pension jusqu'à la fin de ses jours... Et puis, commandant, j'aurais été torturé par le remords en vous abandonnant. S'il vous était arrivé quelque chose, j'en aurais été désespéré pour le reste de mon existence. Après tout, vous êtes mon ami et rien ne compte à côté de cela, même pas le destin du peuple péruvien...

Morane n'insista pas. De toute façon le mal, si mal il y avait, était fait. En outre, Bob ne pouvait reprocher à Ballantine d'être un ami trop dévoué. Sa main chercha celle de l'Ecossais et la serra.

— Merci, Bill, souffla-t-il. Je sais que tu te jetterais au feu pour moi et tu n'ignores pas, de ton côté, que j'agirais de la même façon envers toi... Mais ce n'est pas le moment de nous attendrir . Filons d'ici, puisque nous y sommes forcés maintenant, avant que la sentinelle ne donne l'alarme...

— Ne craignez rien, elle ne se réveillera pas de si tôt. Je lui ai mis toute la sauce et elle en a encore pour un bon bout de temps à hanter le paradis des boxeurs... Mais vous avez raison, mieux vaut ne pas nous attarder. Tenez, prenez ça...

Ballantine glissa un objet dur et lourd dans la main de Bob. Celui-ci n'eut aucune peine à se rendre compte qu'il s'agissait d'un revolver.

Du menton, Ballantine désigna le second lit de camp, sur lequel Collins reposait.

— Et celui-là, qui est-ce ? interrogea le géant.

— C'est Collins. J'ai cru tout d'abord qu'il pouvait s'agir d'un espion chargé de me surveiller, mais j'ai maintenant la quasi-certitude qu'il s'agit bien de Collins. Naturellement, nous ne pouvons l'abandonner... S'il veut nous suivre...

Bob avait quitté sa couche et s'était glissé vers l'autre lit de camp. Il posa la main sur l'épaule de l'Américain et secoua celui-ci doucement, en appelant à mi-voix :

— Collins... Eh ! Collins !...

L'Américain sursauta.

— Qu'est-ce que c'est ? interrogea-t-il.

— C'est moi, Peters, dit Bob. Un de mes amis est là. Il veut nous aider à fuir...

Collins devait être tout à fait réveillé maintenant car il se dressa sur son séant.

— Fuir ?... Je vous l'ai dit déjà, c'est de la

folie. Sans armes, sans équipements, nous ne nous en tirerons pas...

Bill Ballantine s'était approché lui aussi.

— Nous ne serons pas sans armes ni équipements, expliqua-t-il. Là-haut, au sommet du versant, j'ai laissé un sac soigneusement caché. Nous y trouverons tout ce dont nous aurons besoin pour traverser le glacier et, quand nous aurons atteint l'entrée du Défilé des Condors, nous pourrons disposer du matériel de l'expédition, et aussi des lamas qui nous seront d'un grand secours pour traverser les neiges éternelles.

— Les avions de Ramon Pedregal ne tarderont pas à nous découvrir, dit encore Collins.

— Nous nous arrangerons pour leur échapper, fit Bob. Mais nous n'avons pas de temps à perdre en vaines discussions. Je suis décidé à partir. Si vous voulez nous suivre...

Collins ne répondit pas tout de suite. Soudain, il se décida.

— Je vais vous accompagner... Il arrivera ce qui arrivera. Depuis toutes ces semaines que je suis prisonnier ici, je commence à en avoir assez de cette vallée...

En hâte, Morane et l'Américain passèrent tout ce qu'ils possédaient comme vêtements. Là-bas, en franchissant le glacier, il leur faudrait compter avec le froid de la nuit. Par bonheur, on leur avait laissé leurs ponchos et ils trouveraient dans le sac de Ballantine les suppléments de vêtements nécessaires.

Les trois hommes, Ballantine en tête, se

glissèrent hors de la maisonnette. Comme l'avait affirmé l'Ecossais, des nuages cachaient la lune et une obscurité presque totale régnait dans la vallée. Avec appréhension, Morane dirigea ses regards vers l'endroit où, il le savait, un poste d'observation se trouvait ménagé au sommet d'un grand arbre. Ce poste était doté d'un puissant projecteur qui, à la moindre alerte, pouvait balayer de son faisceau les pentes de la vallée jusqu'aux crêtes. Pourtant, aucune lumière n'y brillait pour l'instant.

De son côté, Bill s'était penché sur la sentinelle allongée sur le sol, à quelque pas de la porte. Au bout d'un instant le géant se redressa.

— Ce gibier de potence est toujours au pays des fées, murmura-t-il. Il en a encore pour un bon bout de temps avant de reprendre ses esprits. D'ici là, nous serons loin. Mais il nous faut faire vite. Nous n'avons perdu que trop de temps.

A demi courbés, évitant de faire le moindre bruit, les trois hommes se glissèrent, à la file indienne, à travers la vallée jusqu'aux pentes qu'il leur faudrait gravir pour atteindre le champ de séracs et, peut-être, la liberté.

Morane, Ballantine et Collins avaient traversé la zone de végétation et s'engageaient sur le champ de pierrailles qui les séparait encore de la zone de neige glacée et du champ de séracs. Jusqu'alors, ils n'avaient pas fait de mauvaises rencontres. Tout laissait espérer que, si la chance demeurait de leur côté, ils mèneraient à bien leur entreprise.

— Demain, quand Pedregal sera prévenu de notre fuite, dit Collins, il entrera dans une colère terrible. Peut-être même sera-t-il frappé d'embolie. J'aimerais être présent alors, rien que pour me réjouir de sa déconvenue.

— Contentons-nous de l'imaginer, dit Bob. Personnellement, je me sens pressé d'atteindre le campement, à l'entrée du défilé et, de là, Huaras. Mais ne tannons pas la peau de l'ours avant d'avoir tué la bête. Nous ne sommes pas encore tirés d'affaire, loin de là...

Messire Satan en personne dut entendre cette dernière remarque. Du fond de la vallée, un long cri d'alarme monta, déchirant le silence nocturne.

Cœurs battant, les trois fuyards s'immobilisèrent.

— Hé, hé ! Voilà les ennuis qui commencent, fit Morane. Il me semble, Bill, que la sentinelle a récupéré plus vite que tu ne l'espérais.

— Impossible, commandant. Un coup comme celui-là serait capable d'endormir un bœuf pour toute une nuit. Sans doute le garde aura-t-il été découvert par un de ses confrères, et ce sera ce dernier qui aura donné l'alarme...

— Probablement as-tu raison, Bill, convint Morane qui connaissait la puissance irrésistible des poings de son ami. Quoi qu'il en soit, notre fuite doit être découverte maintenant. Il nous faut nous presser si nous ne voulons pas être rejoints.

Ils se mirent à gravir de plus belle la pente en direction du champ de neige. Dans la vallée, des lumières s'allumaient et des appels fusaient de partout. Et, tout à coup, un grand pinceau lumineux balaya les pentes.

— Le projecteur !... cria Morane. Tous à terre, vite !...

L'avertissement venait trop tard. Le faisceau avait atteint les fuyards, les entourant d'un large cercle de lumière accusant les détails de chaque objet. Morane, Ballantine et Collins s'étaient jetés à plat ventre, mais le faisceau demeurait immobile, éclairant toujours l'endroit où ils se trouvaient, ce qui indiquait qu'ils avaient été aperçus.

— Nous sommes repérés, constata Morane. Les hommes de Pedregal ne vont pas tarder à se lancer à notre poursuite. Heureusement, nous possédons une sérieuse avance. A nous de la conserver. Cessons de nous soucier du projecteur et remettons-nous en route. De toute façon, nous sommes trop loin pour que des balles puissent nous atteindre si l'on nous tire dessus du fond de la vallée...

Toujours suivi par le rayon du projecteur, qui ne pouvait leur faire le moindre mal — du moins ils le croyaient, tous trois reprirent leur progression en direction du champ de neige. A peine cependant avaient-ils couvert une centaine de mètres que, un peu en avant d'eux, il y eut un éclatement sourd. Le sol trembla légèrement, des éclats de pierre volèrent dans tous les sens et un nuage de poussière et de fumée monta au-dessus du sol. Un second éclatement suivit le premier, puis un troisième.

— Les mortiers ! fit Ballantine. Ces maudits nous tirent dessus avec des mortiers !...

Les éclatements entouraient maintenant les fuyards, leur barrant définitivement le chemin du glacier et mettant leurs vies en danger. De tous côtés, autour d'eux, des éclats de métal et de pierraille volaient et chacun des trois hommes pouvait être atteint à tout moment.

Ils s'étaient jetés à terre à nouveau. Mais le projecteur continuait à les éclairer en plein. En bas, les servants des mortiers ajustaient leur tir.

— Il nous faut absolument nous mettre à couvert, dit Morane, sinon nous allons tôt ou tard être massacrés. Regagnons le couvert de la végétation. Nous cesserons alors de servir de cible aux mortiers. Je compte jusqu'à trois et nous nous mettons à courir... Un, deux, trois...

D'un seul bond, ils se dressèrent et se mirent à dévaler la pente à tombeau ouvert, si vite que le projecteur avait de la peine à les suivre. Là-bas cependant, on devait avoir compris leur manœuvre. Quand ils parvinrent à proximité de la ligne de végétation, un nouveau barrage de mortiers se déclencha. Morane et Ballantine passèrent et trouvèrent aussitôt un abri parmi les broussailles. Collins, lui, fut moins heureux. Il s'écroula avant d'avoir atteint les premiers arbres et demeura immobile sur le sol.

152

— Collins !... cria Bob. Vous m'entendez Collins ?...

L'Américain se redressa légèrement et dit d'une voix plaintive :

— Je suis atteint à la cuisse... Plus moyen de me relever... Plus moyen de...

Une série de détonations sourdes lui coupèrent la parole, et plusieurs éclatements de grenades l'entourèrent. Quittant l'abri des arbres, Bob bondit dans la direction du blessé et l'atteignit en quelques enjambées. Le saisissant par la ceinture et par le col du vêtement, il le chargea d'un effort sur ses épaules. Là-bas, les mortiers déclenchèrent à nouveau leur tir, mais ce fut sain et sauf que Bob et son fardeau humain purent atteindre le couvert de la végétation.

Bill et Morane entraînèrent aussitôt le blessé un peu plus loin sous les arbres et le couchèrent sur la mousse. Ballantine tira une lampe électrique de la poche de sa veste et, tandis qu'il éclairait Bob, celui-ci déchira la jambe du pantalon de Collins pour inspecter la blessure. Cette dernière ne semblait pas grave. Seuls les muscles étaient atteints. Cependant il paraissait exclu que le blessé puisse marcher...

Bob Morane et Ballantine échangèrent un long regard chargé d'amertume. Ce fut l'Ecossais qui concrétisa leur pensée commune :

— Nous voilà dans un fameux pétrin, n'est-ce pas commandant ?

Bob eut un signe de tête affirmatif.

— Un fameux pétrin en effet, Bill. Nous ne

pouvons abandonner Collins et, si nous devons le porter, nous n'avons aucune chance d'atteindre le glacier. Surtout avec ces mortiers qui ne manqueront pas de nous envoyer à nouveau leurs pruneaux...

— Peut-être ai-je une idée, fit Ballantine. Je ne sais pas si vous la trouverez bonne, mais je n'ai rien d'autre à vous offrir...

— Dis toujours, Bill. Au point où nous en sommes...

— Eh bien voilà... Au cours des deux jours que j'ai passés ici à surveiller le fond de la vallée, j'ai repéré, non loin d'ici, une caverne inoccupée où j'ai dormi. Elle est assez profonde et fort étroite. Nous y trouverions un refuge provisoire. Si nos adversaires nous rejoignent nous pourrons également jouir d'une position favorable pour leur résister.

Morane fit la grimace. Cette solution ne lui plaisait qu'à demi. Se réfugier dans une caverne, dépourvue probablement d'issue secondaire, c'était un peu s'enfermer soi-même au fond d'un piège. Pourtant, ni lui ni ses compagnons n'avaient le choix. S'ils demeuraient ainsi en pleine nature, ils ne tarderaient pas à être cernés par les soldats de Ramon Pedregal, et assurément, à être massacrés sur place.

— Va pour la caverne, Bill. Je te laisse le soin de nous y mener...

Déchirant un morceau de sa chemise et le roulant en boule, Morane en fit un tampon destiné à fermer provisoirement la plaie de

Collins et à empêcher que celui-ci ne perde trop de sang. Ce grossier pansement achevé, Ballantine, qui était le plus fort des deux hommes, chargea Collins sur son épaule, tout comme s'il s'était agi d'un enfant. Suivi de Bob, le géant se mit alors en marche, éclairé par la torche électrique, en direction de la caverne.

Un peu partout le long des pentes, des bruits de pas, rendus plus sonores par le silence ambiant, se faisaient entendre, indiquant que les soldats de Pedregal s'étaient lancés à la poursuite des fuyards.

Par chance, la caverne n'était pas fort éloignée et il ne fallut pas plus de dix minutes à Morane, Ballantine et Collins pour l'atteindre. C'était une sorte de boyau fort étroit, s'enfonçant à l'intérieur d'une falaise et dont l'entrée était dissimulée par des bosquets de cactus. Après s'être frayé un passage à travers ceux-ci, les trois hommes pénétrèrent dans l'excavation. Ballantine déposa aussitôt le blessé, avec précaution, sur le sol. Collins, frappé tout à l'heure par une brève syncope, causée par la douleur, ouvrit les yeux.

— Vous auriez dû m'abandonner, fit-il. Seuls, vous aviez des chances d'atteindre le glacier. Ici, au contraire, vous êtes pris au piège. Les hommes de Pedregal connaissent la vallée dans ses moindres recoins et ils ne doivent pas ignorer l'existence de cette grotte...

Morane serra les dents.

— Ces forbans ne nous ont pas encore. S'ils veulent nous prendre, ils devront venir nous chercher. Personnellement, je me sens décidé à défendre chèrement ma peau.

Se tournant vers l'Ecossais, Morane s'enquit :

— De combien d'armes disposons-nous, Bill ?

— En pénétrant dans la vallée, expliqua Ballantine, je m'étais muni de deux revolvers. Un pour vous, commandant, un pour moi, et aussi d'une centaine de cartouches. Tout à l'heure, j'ai récupéré le pistolet automatique du garde, après l'avoir assommé, et aussi sa cartouchière. Ainsi il y a une arme et des munitions pour chacun de nous...

— C'est davantage que je n'en espérais, mon vieux Bill. Eteins ta lampe. Elle pourrait nous faire découvrir. Mieux vaut que notre cachette soit repérée le plus tard possible. Ainsi, nous aurons le temps d'organiser notre défense. Quand ces croquemitaines viendront nous rendre visite, ils seront étonnés de la petite réception que nous leur réservons. Cela leur apprendra à chercher des rognes à Bob Morane et à ses amis.

— Bob Morane ? interrogea Collins. Est-ce là votre nom ?... Vous m'aviez dit vous appeler Peters...

Morane sourit.

— On appelle cela un pieux mensonge, dit-il. Je ne savais si je pouvais vous faire confiance et je vous ai donné un faux nom, comme à Pedregal... Maintenant, Bill, assez perdu de temps. Mettons-nous au travail et construisons

156

un petit mur derrière lequel nous pourrons nous retrancher en cas de besoin.

L'Ecossais avait éteint la lampe, et ce fut dans une obscurité totale que Morane et lui s'attelèrent à réunir les morceaux de roc jonchant le sol de la grotte pour élever une muraille haute d'un mètre environ à l'entrée de celle-ci. Cette besogne terminée, ils demeurèrent immobiles dans les ténèbres, accroupis auprès de Collins. Bill ralluma alors sa torche électrique, dont il occulta le rayon à l'aide d'un mouchoir, et il distribua les armes et les cartouches. Ensuite, la lampe fut à nouveau éteinte. Les trois hommes demeurèrent silencieux, prêtant l'oreille afin de déceler la moindre présence humaine au dehors. Pourtant le silence était total. Plus aucun appel ne retentissait et l'on n'entendait pas le moindre bruit de pas.

— On dirait qu'ils n'ont pas encore retrouvé notre trace, souffla Ballantine.

— Peut-être... Peut-être, fit Bob. Mais comme Collins l'a affirmé tout à l'heure, les hommes de Pedregal connaissent la vallée dans ses moindres recoins. Tôt ou tard, ils finiront par penser à cette caverne, et ils s'empresseront alors de venir nous y chercher.

— Eh bien ! qu'ils y viennent ! souffla encore Bill. Quand ils voudront mettre le nez dans ce trou, ils seront surpris de la chaleur qui y règne...

CHAPITRE XVI

Au-dessus du grossier mur de pierres entassées, un pâle reflet grisâtre apparut, encore tamisé par les bosquets de cactus dissimulant en partie l'entrée de la caverne. Morane se frotta les yeux et s'ébroua pour chasser l'engourdissement qui l'avait envahi au cours de ces heures d'attente.

— Voilà l'aube, fit-il à haute voix.

A son tour, Bill Ballantine se secoua.

— Ouais, l'aube, fit-il. Toute la nuit nous avons attendu, commandant, et ces envoyés de l'Enfer ne se sont pas manifestés. Nous avons veillé pour rien et, strictement entre nous, je me sens sérieusement las... Cette immobilité forcée m'a davantage fatigué que si j'avais dû courir un marathon. C'est avec plaisir que je pousserais un petit roupillon...

Le colosse s'interrompit, haussa les épaules, dit encore :

— Un petit roupillon... Pourquoi pas ?... Si nos ennemis n'ont pas encore donné signe de vie, c'est sans doute qu'ils ont perdu nos traces.

Peut-être, après tout, ne connaissent-ils pas l'existence de cette caverne et sont-ils en train de nous chercher du côté des crêtes.

La voix de Collins retentit :

— Ne vous faites pas d'illusion là-dessus. Je ne dis pas que les soldats de Ramon Pedregal ne sont pas allés faire un tour là-haut mais je demeure certain que cette caverne leur est connue. Tôt ou tard, ils viendront par ici et en aucun moment nous ne devons relâcher notre surveillance.

Au cours de la nuit, Morane avait désinfecté la plaie de l'Américain à l'aide de médicaments contenus dans la trousse de Ballantine. Il lui avait confectionné un pansement rationnel et administré une dose préventive de quinine synthétique. Collins ne pouvait toujours pas se tenir debout, mais il ne ressentait aucune douleur ni fièvre. De ce côté, tout était donc pour le mieux.

— Si seulement nous pouvions manger quelque chose, fit Bob, mais nous ne possédons pas la moindre provision. Si cette situation s'éternise, nous serons condamnés à mourir de faim ou à tenter une quelconque sortie qui, inutile de se faire d'illusions à ce sujet, se terminera pour nous par un baroud d'honneur...

— Et si je tentais de gagner l'endroit où j'ai laissé mon sac de montagne, là-haut près des séracs, fit Bill. Entre autres choses précieuses, il contient des vivres...

— Les hommes de Pedregal doivent patrouiller un peu partout, fit remarquer

Morane. Tu n'aurais pas la moindre chance d'atteindre vivant le glacier. Non, ce que nous avons de mieux à faire pour le moment, c'est demeurer ici tous trois à attendre. Plus tard, si la situation s'éternise, il sera toujours temps de prendre une quelconque décision qui, de toute façon, sera désespérée. Une chance encore que nous ayons de quoi boire... pour l'instant du moins.

Bill Ballantine portait une gourde pleine d'eau accrochée à sa ceinture et, au cours de la nuit, tous trois avaient pu se désaltérer. Soudain Collins, qui était étendu sur le sol, sursauta.

— Il me semble entendre quelque chose... Ecoutez...

Bob et Ballantine prêtèrent l'oreille et, au bout d'un moment, ils entendirent eux aussi : un bruit de pas qui se rapprochaient. Ce bruit prit progressivement une extrême netteté et des rumeurs de voix s'y greffèrent.

— Cette fois ça y est, murmura Bill. Ils viennent de ce côté. Avant longtemps, il va falloir en découdre...

A en juger par le bruit, plusieurs hommes, une dizaine peut-être, avançaient. Bientôt on put entendre distinctement le bruit de leur voix. L'un d'eux disait :

— Je me demande comment ils auraient pu découvrir cette caverne, El Toro... Elle est bien cachée et, à moins d'en connaître l'existence... Si tu veux mon avis, notre gibier a réussi, d'une façon ou d'une autre, à quitter la vallée...

— Allons malgré tout jeter un coup d'œil à la caverne, répondait El Toro. Si les fuyards s'y trouvent, ils seront fait comme des rats car elle ne possède pas de seconde issue... Allons, vous autres, disposez-vous en arc de cercle, pendant que Miguel et moi allons voir ce qui se passe dans ce trou.

Il y eut quelques secondes de silence, puis un bruit de broussailles remuées se fit entendre et les pas de deux hommes se rapprochèrent. Bob, Ballantine et Collins avaient préparé leurs armes, prêts à faire feu sur le premier ennemi qui tenterait de pénétrer dans l'excavation. Et, tout à coup un bruit, ténu d'abord, s'imposa en filigrane sur celui des pas. C'était un ronronnement continu qui allait rapidement en s'intensifiant pour finir par atteindre une extrême intensité.

— Des avions, souffla Ballantine. Il y en a bien une dizaine. Ils tournent en rond au-dessus de la vallée...

— Ce sont bien des avions, en effet, approuva Bob. Si je ne me trompe pas, il doit s'agir d'appareils de transport.

Ballantine continuait à prêter l'oreille.

— Des avions de transport, vous ne vous trompez pas, commandant... Vous croyez que?...

Morane eut un signe de tête affirmatif.

— Je ne vois pas d'autre explication, Bill. Lupito s'est acquitté consciencieusement de sa mission. Quant au président Cerdona, il s'est empressé de passer à l'action...

Au-delà des cactus, les hommes qui s'apprêtaient à pénétrer dans l'excavation s'étaient arrêtés et des exclamations étonnées retentissaient. Presque immédiatement, on les entendit qui s'éloignaient avec leurs compagnons vers le fond de la vallée.

— Pas à dire, fit Bob, il se passe quelque chose d'insolite. Je vais me rendre compte...

— Soyez prudent, commandant. Qui sait si ce n'est pas là une ruse de la part de ces salopards.

— Une ruse, fit Bob. Dans ce cas, ces avions qui continuent à tourner au-dessus de la vallée feraient partie de la mise en scène...

Déjà, Morane se coulait au-dehors, mais il eut beau explorer les alentours de la caverne, il ne trouva pas trace des hommes, qui quelques minutes plus tôt encore, s'en étaient approchés.

Bob rejoignit ses amis.

— Plus personne, dit-il. Au moment précis où ils allaient nous découvrir, El Toro et ses coupe-jarrets se sont envolés comme une volée de moineaux effarouchés par des vautours.

Ballantine pointa le doigt vers le ciel.

— Ils sont de taille, les vautours qui ronronnent là-haut... Et si nous allions voir de quoi il retourne exactement ? Non loin d'ici, il y a une sorte de tertre débroussaillé d'où l'on peut observer le fond de la vallée. De là, nous pourrons mieux nous rendre compte...

Durant un instant Bob hésita à abandonner leur refuge. Pourtant, l'impatience et la curiosité l'emportèrent chez lui sur la prudence.

162

— Allons-y, dit-il, tout en ayant soin cependant de ne pas nous faire surprendre au cas où nos ennemis rôderaient encore dans les parages.

Se tournant alors vers Collins, il lui demanda :

— Bill va vous porter car je suppose que, vous aussi, vous voudriez savoir ce qui se passe...

— Si je voudrais savoir ce qui se passe, commandant Morane ? fit l'Américain d'une voix dans laquelle l'espoir perçait... Je me traînerais sur le ventre s'il le fallait...

— Ce ne sera pas la peine, dit Morane avec un sourire. Ce vieux Bill se fera un plaisir de vous véhiculer à nouveau. Surtout, ne craignez pas de le fatiguer. Il est capable de porter un bœuf sur ses épaules pendant des heures, sans même avoir besoin ensuite de souffler un peu.

Se baissant, l'Ecossais souleva Collins et l'emporta hors de l'excavation pour se mettre aussitôt en marche, à travers la broussaille, en direction du tertre dont il venait de parler. Un revolver dans chaque main et inspectant soigneusement les alentours, Bob suivait, prêt à ouvrir le feu sur tout ennemi qui se manifesterait. Pourtant rien de semblable ne se passa. Au-dessus des trois hommes, les appareils inconnus continuaient à tournoyer dans le ciel, avec persistance. Ils demeuraient cependant invisibles car les feuillages empêchaient Morane et ses compagnons de scruter le ciel.

C'est alors que les premiers coups de feu retentirent...

Quand Bob, Ballantine et Collins parvinrent au sommet du tertre, un spectacle réconfortant les accueillit. Les avions de transport qui tournaient au-dessus d'eux portaient les cocardes de l'armée de l'air péruvienne. L'un d'entre eux lâchait encore sa cargaison de soldats dont les parachutes s'ouvraient un à un, telles de gigantesques méduses aériennes.

La résistance des hommes de Pedregal devait avoir été de courte durée. En bas, sur les rives du lac, toute opposition avait déjà cessé. Seules, quelques détonations isolées ou de brèves rafales d'armes automatiques retentissaient encore. Un peu partout des parachutistes, mitraillette au poing, entouraient des groupes de prisonniers.

Déjà Ballantine manifestait bruyamment sa joie.

— Hip ! Hip ! Hourra ! clamait-il. Bravo pour les petits soldats d'Ambrosio Cerdona ! Pas une bavure... C'est à peine si quelques coups de feu ont été tirés... Quant aux hommes du sieur Pedregal, tous les poules mouillées. Cela joue les matamores mais, quand un adversaire bien armé se présente devant eux, y a plus personne... Hip ! Hip ! Hourra ! Bravo pour les petits soldats du président Cerdona !...

Une crainte était venue à Morane. Et si

Pedregal avait réussi à fuir ? Ceux qui commandaient les forces régulières n'avaient pas connaissance de sa présence dans la vallée et, s'il manquait à l'appel, ils n'y verraient que du feu. A tout prix, il fallait empêcher Pedregal de prendre le large. Tant qu'il demeurerait en liberté, il constituerait une menace pour le Pérou et son peuple.

Morane se tourna vers Ballantine et dit d'une voix hâtive :

— A l'aide de deux branches et de nos vestes, nous allons confectionner une civière pour Collins et gagner sans retard le fond de la vallée afin de nous mettre en rapport avec les forces aéroportées et de nous assurer s'ils se sont bien emparés de Ramon Pedregal.

Une heure plus tard, Morane et Ballantine, portant Collins étendu sur un grossier brancard, atteignaient les bords du lac, non loin de la maisonnette où Bob et l'Américain avaient été retenus prisonnier. Presque aussitôt, ils furent entourés par une douzaine de soldats parachutistes qui braquèrent sur eux leurs mitraillettes. Un officier qui les commandait demanda à l'adresse des nouveaux venus :

— Qui êtes-vous et que faites-vous ici ?

— Mon nom est Robert Morane, dit Bob et voici...

— Robert Morane, coupa l'officier d'une voix soudain adoucie... Le commandant Morane ?

— Le commandant Morane, si vous voulez,

fit Bob. Je vois que vous avez entendu parler de moi...

Le visage de l'officier, agressif quelques instants plus tôt, se parait maintenant d'un sourire amène.

— Non seulement j'ai entendu parler de vous, commandant Morane, mais j'ai reçu également des ordres précis à votre sujet. Ils viennent du président Cerdona lui-même. Je dois me mettre, avec tous mes hommes, à votre disposition. Je suis le capitaine Vargas. Il vous suffira de commander et nous obéirons.

Mais Morane secoua la tête.

— Vous vous en êtes très bien tiré jusqu'à présent, capitaine Vargas, dit-il. Vous avez mené cette opération avec un brio remarquable. Du bel ouvrage en vérité, et je ne doute pas que le président Cerdona vous fasse monter de grade. Je m'en repose donc sur vous. Tout ce que je vous demanderais, c'est de prendre soin de mon compagnon. (Bob désignait Collins.) Il a été blessé à la cuisse et a besoin de soins.

— Les infirmiers vont s'occuper de lui sans retard, répondit Vargas. Puis-je autre chose pour vous, commandant Morane ?

— Si vous le permettez, répondit Bob, j'aimerais jeter un coup d'œil sur vos prisonniers afin de m'assurer si leur chef est parmi eux...

Pendant que les infirmiers de l'expédition s'occupaient de soigner Collins, le capitaine Vargas menait Morane et Ballantine jusqu'au groupe de prisonniers gardés par une vingtaine de soldats armés jusqu'aux dents. Parmi eux,

Morane reconnut non seulement El Toro, mais également Ramon Pedregal. Le petit homme était assis sur une pierre et demeurait prostré. Cependant, quand Morane s'approcha de lui, il se redressa fièrement.

— Il me semble, *señor* Peters, dit-il, que vous changez aisément votre fusil d'épaule. Voilà quelques jours, vous étiez prêt à collaborer avec moi. A présent que les choses ont tourné en ma défaveur, voilà que vous pactisez avec mes ennemis...

— Vous n'avez cessé de vous tromper à mon sujet, *señor* Pedregal, corrigea Morane. Pour commencer, je vous ai donné une fausse identité. Mon nom n'est pas Jules Peters mais Robert Morane et, depuis le jour où j'ai vu vos maudits missiles tomber sur Lima et y semer la destruction et la mort, j'ai aidé vos adversaires de mon mieux. C'est en grande partie à moi que vous devez votre défaite. Peut-être en doutez-vous encore, mais vos rêves de grandeur sont définitivement ruinés, *señor* Pedregal.

Se tournant vers le capitaine Vargas, Bob lui dit en désignant le Roi des Mines :

— Faites garder sévèrement cet homme, capitaine. C'est un gibier de choix. Le président Cerdona serait désespéré s'il parvenait à s'échapper.

Vargas jeta un ordre et, immédiatement, quatre soldats s'avancèrent vers Pedregal et l'obligèrent à se séparer des autres prisonniers.

— Que faut-il faire de cet homme ? interrogea Vargas à l'adresse de Morane.

Bob désigna l'habitation dans laquelle Pedregal l'avait reçu le jour de sa capture.

— Faites-le enfermer dans cette maison et donnez l'ordre qu'il soit sans cesse gardé à vue. Sous aucun prétexte, il ne doit être laissé sans surveillance.

Ramon Pedregal éclata soudain d'un petit rire faisant songer à un ricanement d'hyène.

— Vous, commandant Morane, et aussi cet incorruptible Ambrosio Cerdona croyez triompher... Vous vous trompez. Vous ne réussirez pas à me garder prisonnier ni même à me faire passer devant un tribunal... Vous m'entendez ?... Vous ne réussirez pas...

Feignant d'ignorer les paroles du Roi des Mines, Morane dit encore à l'adresse du capitaine Vargas :

— Puis-je vous demander, capitaine, de bien vouloir nous donner de quoi nous restaurer à mes amis et à moi ? Ensuite vous nous ferez conduire à Lima, où je dois au plus vite rencontrer le président Cerdona...

A ce moment, un avion de tourisme apparut, tourna à deux reprises au-dessus de l'aire d'atterrissage qui, par les soins des parachutistes du capitaine Vargas, avait été débarrassée de son filet de camouflage, et s'y posa. Quand les moteurs eurent cessé de tourner, un homme en descendit : le président Ambrosio Cerdona en personne.

CHAPITRE XVII

Bob Morane, Bill Ballantine, Ambrosio Cerdona et Collins, ce dernier ayant sa jambe blessée allongée sur une chaise, se trouvaient assis face à Ramon Pedregal, dans la pièce servant auparavant de bureau à ce dernier. Complaisamment, Pedregal avait raconté son histoire à l'intention de Cerdona. Quand il eut terminé, le président croisa les mains à hauteur de sa poitrine, en un geste de prière.

— Je n'aime pas me poser en justicier, Pedregal, dit-il. Vous savez même que je suis plutôt enclin à la pitié. Pourtant, je ne me sens pas décidé à montrer de la faiblesse à votre égard. Vous êtes un criminel et, comme tel, vous devez payer vos forfaits. A notre retour à Lima, vous comparaîtrez devant un tribunal. Ce sera le peuple péruvien lui-même qui, en la personne des jurés, vous condamnera. Je doute fort que, malgré les meilleurs avocats, vous réussissiez à échapper à la peine de mort...

Ramon Pedregal éclata de rire. Un rire dans

lequel transparaissait un léger accent de démence.

— Vous vous trompez, Cerdona, dit-il. Aucun tribunal ne peut plus m'inquiéter... La peine de mort !... Mais je suis déjà un homme mort. Tout à l'heure, avant d'être capturé par vos soldats, j'ai avalé du poison contenu dans le boîtier de ma montre. C'est un poison indien qui agit très lentement et contre lequel il n'y a pas d'antidote... Il ne doit pas tarder à faire son effet. Voyez-vous, je suis joueur ; j'ai risqué et j'ai perdu, et il me faut régler la note. Les dettes de jeu sont sacrées, vous le savez, et jamais je n'en diffère le paiement. Mais avant de mourir, Cerdona, laissez-moi vous dire quelque chose. J'ai tout prévu pour que, même après ma mort, on parle encore de moi... Dans deux heures, cinquante missiles chargés de puissants explosifs et de phosphore quitteront cette vallée pour s'abattre sur Lima qui sera ainsi presque entièrement détruite. Ce que les explosifs n'auront pas anéanti, le feu s'en chargera. Au moment où les troupes aéroportées ont attaqué la vallée, j'ai eu le temps de régler le mécanisme d'horlogerie commandant le départ des missiles... Oui, Lima sera détruite, et vous ne pouvez rien pour empêcher cela, Cerdona. Vous ne connaissez pas l'emplacement des rampes de lancement et le mécanisme d'horlogerie qui commande le tir des missiles est soigneusement caché.

Le petit homme tira de sa poche une montre

en or au boîtier enrichi de pierreries. Il la consulta et continua :

— Il va être dix heures du matin. A midi précis, les missiles quitteront la vallée pour aller s'abattre sur la capitale. En deux heures vous ne possédez pas le temps matériel pour découvrir et détruire le mécanisme de mise à feu dont je viens de vous parler. Ainsi, Cerdona, je ne régnerai pas à Lima mais vous non plus, puisque la ville sera détruite.

Le silence se fit total entre les cinq hommes. Morane, Cerdona, Ballantine et Collins interrogeaient des yeux le visage du Roi des Mines pour voir si celui-ci ne bluffait pas. Tous quatre eurent vite cependant la certitude qu'il n'en était rien. Une fébrilité soudaine s'empara de Cerdona.

— Pourquoi voulez-vous à tout prix ne laisser derrière vous que ruines et destructions ? interrogea-t-il à l'adresse de Pedregal. Dites-nous où se trouvent les rampes de lancement et comment on peut parvenir au mécanisme qui commande aux missiles... Dites vite. Il en est temps encore...

Pedregal ne broncha pas. Une pâleur mortelle avait envahi son visage et il sembla que ses petits yeux bruns s'éteignaient. Il eut une brève contraction des lèvres.

— Dites vite, fit encore Cerdona. Je vous en supplie, parlez tant que vous le pouvez. Des milliers et des milliers de vies humaines sont en jeu...

Pedregal eut une nouvelle grimace, plus violente cette fois. Il porta les mains à son estomac et laissa échapper une courte plainte.

— Non... De toute façon... il n'est plus temps, même si je le voulais... Le poison.

Son visage était maintenant secoué de tics violents et des taches noirâtres apparurent sur ses joues. Et, brusquement, il se dressa, se cabra comme sous l'effet d'une décharge électrique. D'un bloc, il s'écroula les bras en croix sur le plancher, où il demeura immobile, comme foudroyé.

— Il n'y a plus rien à faire, dit Bob. Il est mort et bien mort... Exit Pedregal.

Morane se redressa de dessus le corps inerte du Roi des Mines et eut un geste d'impuissance.

— Rien à faire, dit-il encore.

Il y eut un moment de consternation puis Cerdona demanda d'une voix hésitante :

— Croyez-vous qu'il parlait sérieusement au sujet de ces missiles qui, dans deux heures, doivent être mis à feu automatiquement ?

— Je le crois, dit Bob. Mais nous n'en aurons la certitude que dans deux heures. Au moment où les missiles quitteront leurs rampes nous ne pouvons manquer de les apercevoir mais, alors, il sera trop tard. Même si Pedregal bluffait, nous ne pouvons courir un tel risque. S'il y a une seule chance qu'il ait dit vrai, nous devons au plus vite tout mettre en œuvre pour empêcher le départ des missiles...

— Pour cela, fit remarquer Ambrosio Cerdona, il nous faudrait connaître l'emplacement des rampes. Or, vous m'avez dit tout à l'heure n'avoir pu le découvrir.

— En effet... Au cours des quelques jours que j'ai passés dans cette vallée, j'ai tenté par tous les moyens de repérer les rampes en question, mais en vain...

Le président se tourna vers Collins.

— Et vous, Collins ? Ne possédez-vous aucun indice qui puisse nous mettre sur la voie ?

L'Américain eut un signe négatif.

— Aucun, Excellence. Je vous l'ai dit déjà, chaque fois que les missiles devaient être lancés, au cours de mon séjour ici, tout le monde était consigné dans les habitations et les fenêtres soigneusement occultées de l'extérieur. Je ne puis donc vous renseigner...

Comme mû par un ressort, Ambrosio Cerdona se dressa soudain. Il appuya ses poings crispés sur le dessus du bureau, avec une telle force que ses phalanges blanchirent, comme si le sang quittait ses mains.

— Il nous faut faire quelque chose, fit-il. Il nous faut faire quelque chose... Vous entendez, mes amis ? Si Pedregal a dit vrai, dans deux heures un ouragan de feu s'abattra sur Lima et des hommes mourront. Des hommes, des femmes et des enfants périront brûlés par le phosphore. Il nous faut empêcher cela à tout prix ! Il nous faut empêcher cela à tout prix !

— Je ne vois qu'une solution, fit Ballantine. C'est de tout mettre en œuvre pour découvrir l'emplacement des rampes. Que diable, une cinquantaine de missiles cela ne se cache pas aussi aisément que des aiguilles à repriser !...

— Bill a raison, dit Bob avec force. Au lieu de demeurer ici à discuter, nous ferions mieux de commencer les recherches. Donnez des ordres, Excellence, pour que tous les soldats parachutés dans la vallée se mettent sans retard en campagne. Pas un seul instant ne doit être perdu...

Une expression d'inébranlable volonté tendit soudain le visage du président Cerdona.

— Vous avez raison, commandant Morane. Il nous faut découvrir ces rampes avant qu'il ne soit trop tard... Il faut que nous les découvrions !... Il faut que nous les découvrions !...

Comme un fou, Cerdona se précipita vers la porte et sortit en hurlant des ordres à l'adresse des soldats et de leurs officiers.

CHAPITRE XVIII

Bob lança un coup d'œil rapide à son bracelet-montre.

— Onze heures et demie, dit-il, et nous n'avons encore rien trouvé...

— Peut-être n'y a-t-il rien à trouver, fit Ballantine. Après tout, pourquoi Ramon Pedregal, avant de mourir, n'aurait-il pas voulu nous jeter de la poudre aux yeux ? D'ailleurs les rampes peuvent ne pas se trouver dans la vallée elle-même. Elles peuvent être installées ailleurs, au creux d'un ravin quelconque...

— Non, Bill, elles ne sont pas installées ailleurs. Sinon, pourquoi Pedregal, chaque fois que des missiles devaient être lancés, aurait-il obligé son personnel à se cacher pour qu'il ne puisse rien voir. Les rampes sont installées ici, j'en suis persuadé. Mais où ?... Voilà ce qu'il nous faudrait trouver... Et le temps passe. Encore une demi-heure et il sera trop tard...

Depuis la mort de Pedregal, les recherches n'avaient pas cessé. En vain. Rien n'avait pu jusqu'alors être découvert. Pour le moment,

Morane et Ballantine se trouvaient au bord du lac, fouillant partout avec un entêtement désespéré. Bob tendit le bras vers une cabane de bois camouflée comme toutes les autres et qui s'élevait à peu de distance de la berge.

— Allons encore jeter un coup d'œil là-dedans, dit-il.

— Cela fait au moins trois fois que nous visitons cette baraque, fit remarquer Ballantine. Nous l'avons fouillée à fond et n'avons rien découvert qui puisse nous intéresser.

— Qui sait, fit Morane d'un air soucieux. Peut-être quelque chose, un détail, un rien nous a-t-il échappé. Malgré moi, je me sens attiré vers cette cabane et tu sais, Bill, que je me suis toujours laissé guider par mes pressentiments... Mon instinct m'a d'ailleurs rarement trompé jusqu'ici...

Le colosse haussa les épaules.

— Je sais, commandant, je sais. Vous avez autant de flair qu'un chien de bonne race. Eh bien, puisque vous le désirez absolument, allons jeter un nouveau coup d'œil dans cette baraque...

Les deux amis se dirigèrent vers la cabane et y pénétrèrent. Le spectacle que l'intérieur leur offrit leur était familier. En grande partie du matériel de pêche : filets, cannes et même un bateau démontable. Dans un coin, plusieurs combinaisons de caoutchouc mousse suspendues à des patères, au-dessus de scaphandres autonomes rangés contre la muraille. Près de ces scaphandres, il y avait également des masques de plongée et tout un lot de palmes de caoutchouc.

— Je me demande vraiment ce que Pedregal pouvait bien faire avec ces scaphandres autonomes ? fit Morane sur un ton rageur.

Ballantine considéra son ami avec étonnement.

— Nous nous sommes déjà posé cette question tout à l'heure, et nous en avons déduit que Pedregal devait se livrer à la chasse sous-marine — si l'on peut dire — dans les eaux du lac.

— La chasse sous-marine, dit Bob.

Il s'interrompit et demeura songeur, le front barré par une ride verticale.

— La chasse sous-marine, répéta-t-il encore. Il y a quelque chose qui ne tourne pas rond là-dedans, Bill. Quelque chose qui ne tourne pas rond... Mais quoi ?...

Tout à coup, Bob sursauta.

— J'y suis ! s'exclama-t-il. Les fusils sous-marin, voilà ce qui ne tourne pas rond...

— Que voulez-vous dire exactement, commandant ? interrogea Ballantine.

— Tout d'abord, un vrai chasseur sous-marin ne se servirait pas de scaphandres pour s'adonner à son sport. Pourtant, s'il s'agit de quelqu'un désireux de se faciliter les choses, cela s'explique encore. Ce qui ne s'explique pas, c'est que Ramon Pedregal pouvait faire la chasse sans fusil... Regarde, Bill, il y a ici des cannes à pêche, des combinaisons de caoutchouc mousse, des scaphandres autonomes, des masques et des palmes, mais, si tu y vois un seul fusil sous-marin, c'est que tu as réellement beaucoup d'imagination.

— En effet, commandant. Je ne vois aucun instrument de ce genre. Donc, à moins que Pedregal n'ait entreposé ses fusils ailleurs...

— ... Il ne se livrait pas à la chasse sous-marine, enchaîna Bob. Alors, à quoi lui servaient les scaphandres autonomes ?

— Probablement à aller de temps à autre faire un petit tour au fond du lac.

— Je suis heureux de te l'entendre dire, Bill. Mais ce qu'il faudrait savoir, c'est ce que Pedregal allait y chercher... Strictement entre nous, je commence à avoir ma petite idée à ce sujet.

Bill Ballantine eut un violent sursaut.

— Le lac !... Vous ne voudriez par hasard pas dire, commandant, que... ?

Morane eut un signe de tête affirmatif.

— Si, Bill, c'est ce que je veux dire... Il faut en avoir, au plus vite, le cœur net. Aide-moi à transporter le matériel nécessaire sur la berge. Je vais faire un petit plongeon pour aller rendre visite au génie malfaisant qui doit habiter au fond de ces eaux bleues... Cette combinaison de caoutchouc mousse me paraît être à ma taille. Elle me sera bien utile car les eaux du lac doivent être glacées... Cette paire de palmes, ce masque... Voyons si ce tribouteille possède son plein d'air... Oui ! C'est parfait... Cet embout me convient et ce détendeur me paraît fonctionner à merveille...

Quelques minutes plus tard, sur le bord du

178

lac, Ballantine aidait Morane à revêtir la combinaison de caoutchouc mousse. Ensuite, quand son ami eut chaussé les palmes et passé le masque, il lui chargea les trois lourdes bouteilles sur les épaules et les lui fixa à l'aide des sangles.

Morane avait glissé entre ses lèvres l'embout de caoutchouc et ouvert la valve d'admission d'air. Il abaissa le masque sur son visage et, marchant gauchement, à la façon d'un canard ayant trop mangé, il entra dans l'eau, y pataugea pendant quelques secondes puis s'y coula tout de son long, dans un grand éclaboussement d'écume.

À longs battements de palmes, Morane nageait maintenant vers le fond du lac, fendant les eaux bleues qui, au fur et à mesure qu'il descendait, devenaient plus sombres.

Habitué de longue date à la plongée en scaphandre autonome, Bob se sentait très à l'aise. Pourtant, l'angoisse l'occupait. Il savait que, si ses suppositions se révélaient inexactes, rien ne pourraient plus empêcher que Lima fut détruite et que des milliers d'innocents périssent d'une mort horrible.

C'est à peine s'il lui fallut quelques minutes pour atteindre le fond du lac, par vingt-cinq mètres environ. Là, il jeta un coup d'œil à sa montre étanche. Il était midi moins dix minutes.

Le cœur tordu par l'anxiété, le souffle court,

ce qui lui faisait consommer une grande quantité d'air contenu dans les bouteilles, Bob se mit à nager à un mètre du fond, scrutant avec désespoir l'eau devant lui. Pendant cinq nouvelles minutes, il progressa ainsi. Déjà, il désespérait de trouver ce qu'il cherchait quand, devant lui, estompées par l'épaisseur liquide, des formes apparurent. On eût dit de gros tuyaux d'orgue rangés à peu de distance l'un de l'autre. Empoigné par une soudaine allégresse, Bob se propulsa, de toute la vitesse de ses palmes, en direction des formes. Quand il fut tout près, il se rendit compte qu'il s'agissait d'énormes cylindres, haut chacun de trois mètres et dont le diamètre pouvait atteindre un mètre cinquante.

S'élevant au-dessus des cylindres, Bob se rendit compte qu'ils étaient fermés par un couvercle. Pour un grand nombre d'entre eux, ce couvercle était soulevé. Ces cylindres-là étaient vides, et Bob savait maintenant avec précision quel avait été leur contenu.

A l'origine, chaque tube, parfaitement étanche, renfermait un missile. Pour lancer celui-ci, il suffisait de presser, quelque part sur les rives, un contact électrique. Le couvercle se soulevait alors et, en même temps, une source d'énergie quelconque — peut-être une réserve d'air comprimé — lançait le missile au-dehors. A la sortie de l'eau, la mise à feu du carburant se faisait automatiquement et le projectile était propulsé vers son objectif.

Avant de mourir, Ramon Pedregal avait déclaré que cinquante missiles seraient lancés à midi précis, par un mécanisme d'horlogerie. Il fallait découvrir ces cinquante missiles avant qu'il ne soit trop tard. C'est à peine s'il restait à Bob quelques minutes, non seulement pour les trouver, mais aussi pour les mettre hors d'état de prendre le départ... »

Planant, les bras étendus, au-dessus des cylindres, Bob jeta un long regard circulaire autour de lui. Et, soudain, il crut distinguer ce qu'il cherchait. Là-bas, un certain nombre de cylindres se trouvaient un peu isolés des autres. Des cylindres qui, tous, avaient leurs couvercles fermés. S'en approchant, Bob se rendit compte qu'ils étaient disposés en cinq rangées de dix unités. « Cinquante fusées. Je crois avoir atteint mon but. Maintenant, il va falloir faire vite. Il me reste à peine une minute et, sur cette minute, je vais devoir faire des miracles... »

Il s'était mis à nager autour du groupe de cylindres. Ceux-ci étaient reliés entre eux, à leur base, par un câble de la grosseur du pouce, recouvert de matière plastique isolante et par lequel devait passer le courant. Finalement, Morane distingua un second câble qui, sortant des herbes tapissant le fond, venait se rattacher à un des cylindres de coin. « Le câble principal, songea Bob. C'est à lui que je dois m'attaquer. Mais aurai-je le temps ?... »

A deux mains, il saisit le câble et, s'arc-boutant des deux pieds contre le cylindre, il se mit à tirer de toutes ses forces. Pourtant, le câble résistait et Bob comprit que, s'il ne parvenait pas à l'arracher dans les secondes qui allaient suivre, tout serait perdu. En un de ces efforts qui brisent un organisme quand l'obstacle résiste, il banda ses muscles. Soudain, quelque chose lâcha. Morane fit deux tours sur lui-même, pieds par-dessus tête et se retrouva couché à plat ventre parmi les herbes aquatiques. Un nuage de vase remuée l'entourait et l'empêchait de discerner quoi que ce fût. Tout ce dont il était certain, c'était que le câble avait cédé puisqu'il n'avait cessé de le tenir à pleines mains.

De longues secondes s'écoulèrent avant que l'eau n'eut repris sa transparence. A quelques mètres, Bob aperçut à nouveau les tubes, dont les couvercles demeuraient clos. Il consulta sa montre : midi et une minute. « Aurais-je réellement réussi ? » Toujours couché sur le ventre, il continuait à fixer les cylindres, jetant seulement de temps à autre un rapide regard à sa montre. Midi deux minutes... Midi cinq minutes... Midi sept minutes... Midi dix...

Bob se sentit alors saisi par une joie sans limite. A tel point qu'il faillit lâcher l'embout de caoutchouc qu'il tenait serré entre les dents. « Gagné !... J'ai gagné !... songeait-il. Mon petit Bob, tu peux être fier de toi... et aussi de ta sacrée chance... »

Donnant un coup de pied au fond, il remonta alors lentement vers la surface.

CHAPITRE XIX

— Il est deux heures de l'après-midi, fit le président Cerdona d'une voix joyeuse, et rien ne s'est encore passé. Je crois que nous avons gagné, Bob. Si vous permettez que je vous appelle ainsi...

— En ce qui me concerne, je suis certain du succès, dit Morane avec force. Si, comme moi, vous aviez aperçu ces cinquante tubes lance-missiles dressés comme pour la parade, vous ne douteriez pas...

Morane, Cerdona, Ballantine et Collins se tenaient au bord du lac, scrutant avec angoisse, depuis près de deux heures, sa surface à la fois calme et hostile et s'attendant à chaque instant à en voir jaillir les projectiles porteurs de destruction et de mort. Pourtant, le délai fixé par Ramon Pedregal s'était écoulé depuis long-temps, et rien ne s'était encore passé.

Le capitaine Vargas s'approcha du groupe formé par les quatre hommes et s'adressa à Cerdona.

— En suivant le câble, dit-il, mes hommes

ont réussi finalement à trouver l'endroit où se trouvait dissimulé le mécanisme commandant le départ des missiles. Une vaste excavation creusée dans la berge et dont l'entrée, fort étroite, était obstruée par un gros bloc de rocher pivotant sur lui-même grâce à un système de levier. Naturellement, nous nous sommes empressés de saboter le mécanisme en question. Tout danger se trouve donc définitivement écarté à présent...

Ambrosio Cerdona demeura un long moment silencieux. Une joie sans mélange illuminait ses traits.

— Lima est sauvée, dit-il enfin avec ferveur. Lima est sauvée !...

Il se tourna vers Morane et lui saisit les mains.

— Et ce triomphe, c'est à vous que le peuple péruvien le doit, Bob, fit-il encore.

Morane se dégagea doucement.

— N'exagérons rien, Excellence, dit-il avec embarras. J'ai fait ma part de besogne, c'est certain, mais Collins, Bill et Lupito ne doivent pas être oubliés non plus. Sans eux...

— Tout ce que j'ai fait, interrompit l'Américain, c'est d'écrire cette lettre. Sans l'aide d'un Indien auquel j'avais sauvé la vie et qui, ayant la confiance de Pedregal, pouvait quitter la vallée à son gré, elle ne serait jamais parvenue à Lima...

— Quant à moi, dit Ballantine, tout ce que j'ai fait, c'est donner l'ordre à Lupito d'aller avertir votre Excellence. Lupito recevra la

184

récompense promise et tout sera donc pour le mieux de son côté. C'est quand même vous, commandant, qui avez eu l'idée de plonger dans le lac. C'est vous aussi qui avez désamorcé la machine infernale de ce maboul de Pedregal.

— Il n'y a rien à redire à cela, approuva Collins. Bien sûr, nous avons tous accompli notre besogne, mais c'est vous seul, commandant Morane qui, finalement, avez sauvé la capitale d'une destruction quasi totale.

Devant cette évidence, Bob ne trouva rien à répliquer, et il demeura embarrassé, à passer et repasser la main dans ses cheveux noirs et drus.

— Oui, Bob, dit encore Ambrosio Cerdona, que vous le vouliez ou non, le Pérou a une grande dette envers vous. Et dire que je ne puis même pas vous récompenser. Je sais que vous êtes de ceux qui ne se laissent jamais guider par l'intérêt. Ah ! si seulement je pouvais vous prouver ma reconnaissance par un acte concret... Un don, par exemple...

De longues secondes, Cerdona demeura songeur, puis il tressaillit soudain.

— Je crois avoir trouvé, dit-il. Je vais vous faire offrir cette vallée par l'Etat péruvien, avec acte de propriété dûment légalisé...

— M'offrir cette vallée ? fit Morane en riant. Et qu'en ferais-je ?

— Ce que vous en feriez, commandant ? intervint Ballantine. Peut-on imaginer retraite plus idéale ? Les eaux du lac doivent être poissonneuses et, quand les missiles et leurs cylindres auront été enlevés, vous pourrez y faire de fructueuses parties de pêche. Vous pourriez également y faire de l'élevage et vivre loin de tout souci, loin du bruit dévorant de notre monde moderne...

Une expression rêveuse avait envahi le visage énergique de Morane. Visiblement, l'offre du président Cerdona le tentait.

— Tu as raison, Bill, déclara-t-il doucement. Cette vallée ferait une retraite idéale... POUR MES VIEUX JOURS...

Si ce roman vous a plu et si vous désirez obtenir des renseignements sur BOB MORANE, vous pouvez écrire à l'auteur à l'adresse suivante :

HENRI VERNES
Éditions Fleuve Noir
6, rue Garancière
75278 Paris Cedex 06 (France)

Vous pouvez également devenir membre du

CLUB BOB MORANE

qui édite une revue consacrée à ce personnage.

Envoyez vos demandes d'adhésion au

CLUB BOB MORANE
314, avenue Rogier
1030 Bruxelles (Belgique)

Achevé d'imprimer en avril 1988
sur les presses de l'Imprimerie Bussière
à Saint-Amand (Cher)

— N° d'imprimeur : 4189. —
Dépôt légal : mai 1988.
Imprimé en France